Raumpatrouille

Matthias Brandt

Raumpatrouille

Geschichten

Kiepenheuer & Witsch

www.brandt-raumpatrouille.de

Verlag Kiepenheuer & Witsch, FSC® N001512

5. Auflage 2016

© 2016, Verlag Kiepenheuer & Witsch, Köln

Frontcoverdesign: © Patricia Finnern
Umschlagmotiv: © Stephan Storp 2016
Autorenfoto: © Mathias Bothor/photoselection
Gesetzt aus der Stempel Garamond
Satz: Buch-Werkstatt GmbH, Bad Aibling
Druck und Bindung: CPI books GmbH, Leck
ISBN 978-3-462-04567-3

Alles, was ich erzähle, ist erfunden.
Einiges davon habe ich erlebt.
Manches von dem, was ich erlebt habe,
hat stattgefunden.

Alles anders

Keiner da.

Das Haus hatte ich bereits von oben bis unten und von links nach rechts durchwandert und saß jetzt doch wieder stuhlkippelnd in meinem Zimmer. Ich schmiss mich aufs Bett, um gleich im nächsten Moment wieder aufzuspringen und im Schrank nach meiner Jaguarmatic-Spielzeugpistole zu suchen, die ich seit Tagen vermisste, weil hier schon wieder aufgeräumt worden war. Träge, triefende Langeweile.

In der Küche hatte ich mir einige der Hundekuchen, an denen ich so gerne knabberte, weil sie nach Pappkarton schmeckten, in die Taschen meiner Cordhose gesteckt.

War jemand in der Nähe, musste ich vorsichtig sein, dass die Schachtel nicht zu laut rappelte, wenn ich sie aus dem Schrank nahm. Eigentlich war mir das nämlich verboten, seit meine Mutter mich dabei beobachtet hatte, wie ich Gabors Delikatessen verdrückte.

Es lief jetzt also wieder darauf hinaus, dass ich hier den Nachmittag über die Zeit würde totschlagen müssen, bis im Fernsehen »Percy Stuart« kam. War das Regen oder Schnee, überlegte ich, während ich, am Hundekeks nagend, aus dem Fenster in den Park vor dem großen weißen Haus schaute, in dem wir seit einigen Jahren lebten.

Schließlich fand ich die Jaguarmatic, nicht aber die Munitionsstreifen aus rotem Plastik, die es nur beim Puppenkönig unten in der Stadt zu kaufen gab. Ich nahm eine Amsel ins Visier, die in der Birke saß, drückte aber nicht ab. Dann die Plastikfigur auf der Fensterbank. Fest kniff ich das linke Auge zu und versuchte Kimme, Korn und den Kopf von Juanito, dem Maskottchen der letzten Fußballweltmeisterschaft in Mexiko, in eine Sichtachse zu bringen. »Pch!«

Ich zog meinen Anorak und die Gummistiefel an und rief nach Gabor, der sich auf seinem Platz im Wohnzimmer zuerst stumm stellte, sich aber, nachdem ich insistierte, schüttelnd aufrappelte und zu mir auf den Weg machte. Die Hundemarke klimperte an seinem Halsband. Draußen gingen wir ums Haus herum, mein Fahrrad holen. Gabor knurrte im Vorbeigehen den vor dem Haus postierten Uniformierten an. Als ich seine umgehängte Maschinenpistole sah, ärgerte ich mich, dass ich die Jaguarmatic auf dem Tisch hatte liegen lassen.

Seit einiger Zeit patrouillierten Wachleute auf unserem Grundstück, man hatte ihnen sogar hinten beim Gemüsegarten, wo es in den Wald ging, eine Baracke gebaut, in der sie wohnten. Ich hatte mich über die Stockbetten in den Stuben gewundert, als ich einmal hineingegangen war. Wie in unseren Zimmern im Schullandheim in der Eifel sah es dort aus.

Einer der Bewacher hatte mir vor Kurzem, als er sich von Gabor bedroht fühlte, zugezischt, er würde den Hund abknallen, wenn dieser ihn tatsächlich angriffe. Dabei hatte er die zu Boden gerichtete umgehängte Waffe angehoben und damit in unsere Richtung gedeutet. Ich hatte Gabor an seiner dicken weißen Mähne gepackt und das Weite gesucht.

Aus der Garage holte ich mein blaues Bonanzarad, um damit durch den Park zu streifen. In den

letzten Sommerferien hatte ich täglich stunden-
lang geübt und konnte jetzt mühelos mit nach
oben eingerollter Zunge »Mamy Blue«, mit dem
Ricky Shayne letzten Samstag in der ZDF-Hit-
parade aufgetreten war, pfeifen. Ich drehte eine
Runde um die Rhododendroninsel in der Mitte
des Hofs. Gabor lief mit, hatte dann aber Besse-
res zu tun und verschwand in Richtung Wiese.
Am Ende der Einfahrt befand sich das metallene
elektrische Rolltor mit den Zacken obendrauf,
welches von außen nur durch den Polizeibeam-
ten im Wachhäuschen, wenn man hinauswollte
aber durch einen schwarzen Druckschalter an
dessen rechtem Rand zu öffnen war. Dort stand
ich und versuchte zu erkennen, welcher der Bewacher heute Dienst hatte, um ihm eventuell einen Besuch abzustatten, doch das Seitenfens-
ter des Häuschens war beschlagen. Wenn ich
das Tor öffnete, würde der Bewacher natürlich
nachschauen, aber das war mit dem Risiko verbunden, dass es sich um jemanden handelte, den
ich nicht leiden konnte. Und wenn der dann auf-
stand und herauskam, müsste ich ihm erklären,
wohin ich wollte. Zumindest jedoch, warum ich
den Öffner betätigt hatte. Seit einiger Zeit hatte
ich anzumelden, wenn ich am Nachmittag das

Grundstück verlassen wollte, um beispielsweise einen Freund zu besuchen, ich wurde dann geschützt dorthin gebracht. Es gab Möglichkeiten und Wege, dies zu umgehen, aber die führten nicht durch den Vorderausgang.

Schließlich, weil mir jede Komplikation, auch die einer unerwünschten Begegnung mit dem Wachhabenden, lieber war, als weiter herumzulungern, ließ ich es drauf ankommen, drückte den Öffner, und das Tor rollte ächzend zur Seite. Im Häuschen bewegte sich ein Schemen, dann hörte ich die auf der mir abgewandten Seite liegende Tür aufgehen, und Bernd Stöckl schaute um die Ecke. Glück gehabt.

»Ah, der Chef himself«, begrüßte er mich, als ich auf ihn zufuhr, was auch deswegen lustig war, weil er und seine Kollegen eigentlich meinen Vater so nannten, zumindest öffentlich. Waren sie unter sich oder hatten sie vergessen, dass ich dabei war, sprachen sie vom Alten.

»Alles klar?«, sagte ich.

»Alles roger. Kommst du mich besuchen?«

Wie ein Oberkellner wies er mit beiden Händen in Richtung Tür. Darauf hatte ich gehofft. Seltsamerweise stand er in Mantel und Schal da, obwohl er doch drinnen gesessen hatte und eigentlich noch nicht Zeit für den Schichtwechsel war. Ich lehnte mein Rad gegen die Lindenhecke, die die Einfahrt auf einer Seite säumte, stieg ihm voran die drei Stufen hoch und betrat das Kabuff, in dem er seine Schicht absaß. Auch das war ein eilig gezimmerter Bau, aber da bekanntlich nichts so lange hält wie ein anständig gemachtes Provisorium, war der Plan, ihn durch etwas Solideres zu ersetzen, irgendwann in Vergessenheit geraten.

Herr Stöckl und seine Kollegen begleiteten uns, wenn wir das Grundstück verließen. Worin genau die Bedrohung bestand, ahnte ich mehr, als dass ich es verstand. Ich mochte diese Männer und ihre Welt gern, vor allem aber machte es Spaß, ihnen zu entwischen. Während ich dann feixend in einem Gebüsch abseits des Weges im Wald saß, in dem ich mich viel besser auskannte als sie, hörte ich sie fluchend vorbeieilen. Normalerweise war Bernd Stöckl meinem Vater zugeteilt und mit ihm in der Welt unterwegs, aber die Wachschichten vor unserem Haus gehörten zwischendurch eben auch zu seiner Tätigkeit. Gegebenenfalls hätte er, deswegen saß er hier, Eindringlinge mit Waffengewalt von ihrem Vorhaben abhalten können.

»Hast du den Hunke gesehen?«, fragte er mich.

»Nö.«

»Der soll die dämliche Sicherung wieder reinmachen. Behalt mal lieber deine Jacke an«, sagte er. Ich setzte mich auf den Stuhl, der der Eingangstür gegenüberstand, streifte die feuchte Kapuze vom Kopf und rieb mir die nassen Hände.

»Wollte mir Kaffee kochen und hab's *schon wieder* vergessen.«

Mehrmals zuvor war bei gleichzeitigem Betrieb von Tauchsieder und elektrischer Heizung die Sicherung herausgesprungen, und Stöckl hatte, weil er seinen Posten nicht verlassen durfte, jedes Mal den Hausmeister Herrn Hunke anrufen müssen. Das Häuschen war dann ausgekühlt, und der Wachmann hatte, wie jetzt, in alle seine Sachen gepackt dort herumgesessen, bevor Hunke sich endlich in den Keller des Haupthauses bequemt hatte, um die Sache in Ordnung zu bringen.

Am Fenster, von dem aus er die Einfahrt im Blick hatte, stand ein klobiger, wahrscheinlich in einer Dienststelle ausgemusterter Bürotisch mit Rollläden an beiden Seiten. Rechts war das zweite Schubfach von oben herausgezogen, und ich erkannte einen Stapel Rätselhefte, eines davon, mit dem Stöckl gerade beschäftigt gewe-

sen war, lag zusammen mit einem Wüstenrot-
kuli und einer Brille mit verschmierten Gläsern
auf dem Schreibtisch. In der Schublade darunter
war manchmal die Pistole des jeweils Wachhabenden deponiert, wenn es diesem zu unbequem
war, während der Schichten das Holster zu tragen. Ich versuchte, einen Blick zu erhaschen, sah
aber nichts.

Auf einmal knackste es, und die Schreibtisch-
lampe und das Radio gingen wieder an, ein altes
Röhrenmodell, das immer eine Weile brauchte,
um warm zu werden. Ich mochte an ihm besonders das magische Auge, das leuchtend grün die
Signalstärke anzeigte, und die rätselhaften Sen-
dernamen auf der Skala: Hilversum, Beromünster.
Im Radio wurde geredet, und weil Bernd Stöckl
von meinen früheren Besuchen her wusste, dass
ich das nicht mochte, ging er hinüber und schaltete aus.

»Momento, Señor«, sagte er und zog aus der
Aktentasche, die neben seinem Stuhl stand und
aus dem gleichen genarbten Schweinsleder war
wie mein Schulranzen, den neuen Kassetten-
rekorder, von dem er mir beim letzten Mal erzählt hatte. Es war ein Gerät der Marke Saba, grau
und silbern, er reichte es mir herüber, damit ich

die Musikkassette einlegen konnte. »James Last: Non Stop Dancing« stand auf der kleinen Plastikschachtel. Immer noch kaum zu glauben, dass hier so viel Musik drauf sein sollte wie auf einer Langspielplatte, auf die bespielbaren passte sogar noch mehr. Ich betätigte den kleinen grauen Knopf, und die Klappe öffnete sich. Nachdem ich die Kassette eingelegt hatte, drückte ich auf diejenige der großen Tasten, über der nur *ein* nach rechts zeigender Pfeil war, und die Mechanik des Gerätes setzte sich in Gang. Zuerst hörte man Partygeräusche, Stimmengemurmel und etwas Applaus, dann setzte hüpfend das Saxofon ein, sofort wurde rhythmisch geklatscht, schließlich kujehnten sich Bass und Trompeten dazu. Dann Mitsingen und »Aaah, Oooh«, Laute begeisterten Wiedererkennens.

»Diiiii-japapapa-padap-papadap-papaaa«, brummte Bernd Stöckl und schnippte mit der rechten Hand den Takt. Wie ich dem Cover entnahm, hieß das Stück »Puppet on a String«.

Er hatte den Regler des Radiators wieder auf die höchste Stufe gedreht, schnell wurde es in dem kleinen Raum warm, wir zogen Anorak und Mantel aus und hängten sie auf, er am Haken, ich über der Stuhllehne.

»Kaffee trinkst du noch nicht«, sagte er, stöpselte den Stecker des Tauchsieders ein und den der Heizung aus, erwärmte das Wasser in dem kleinen, innen ganz kalkigen Kochtopf, tauschte die Stecker schnell wieder zurück, nahm den noch feuchten Löffel vom Spültuch und tat Nescafé in die Tasse.

»Open the milk, please, Señor.« Er gab mir den der Form einer Gitarre nachempfundenen Flaschenöffner mit dem auf der Rückseite angebrachten Dorn. Ich stach damit zwei Löcher in den Rand der Bärenmarkedose, gab sie ihm zurück und leckte mir die Kondensmilch vom Finger.

»Would you like a tea-sausage bread?«

Ich gluckste, wusste aber nicht, was er meinte. Er öffnete die zerbeulte Aluminiumbrotdose auf seinem Tisch und holte eine der aufeinandergelegten, mittig durchgeschnittenen und mit Margarine und Teewurst bestrichenen Brothälften heraus, gab sie mir und nahm sich selbst die andere.

»Danke, Señor«, sagte ich und biss in das weiche Mischbrot. Während Herr Stöckl kaute, schnaufte er durch die Nase, und sein Kiefergelenk knackte. Das Orchester James Last war in seinem Endlosmedley gerade bei »Blue Spanish

16

Eyes« angekommen, zur nicht nachlassenden Begeisterung seines Studiopublikums. Auch Stöckl summte mit, »Mmm-mm-mm-mmm«.

»Bei Köln hat am Samstag einer mitgespielt, der Karlheinz Hähnchen heißt«, sagte ich. Er grinste und runzelte gleichzeitig die Stirn.

»Aber nur die letzten drei Minuten.«

»Na ja, vielleicht deswegen«, sagte Stöckl, der inzwischen aufgegessen hatte. Mit dem Nagel des linken kleinen Fingers pulte er sich einen Brotkrümel aus dem Mundwinkel und schnipste ihn weg. Dann schaute er auf seine Timexuhr.

»Drei Stunden noch. Dann hasta la vista.«

Herr Stöckl gähnte und streckte sich. Mir schmeckte das Teewurstbrot doch nicht so gut, wie ich zuerst gedacht hatte, und ich überlegte, wie ich es loswerden konnte.

»Keramikstudio«, schon während er sich hochrappelte, begann er sein Sakko auszuziehen. Er ging in den Toilettenverschlag, und ich saß jetzt alleine hier, aus dem Rekorder kam »Butterfly«, und ich stellte am Rädchen etwas lauter, um die Klogeräusche zu übertönen. Das Brot ließ ich in der Seitentasche des Anoraks verschwinden, um es nachher Gabor zu geben.

»Bleibst du noch kurz hier? Ich müsste mal

zum Auto. Steht gleich drüben«, sagte er, als er händewedelnd herauskam, und zeigte in Richtung Blömerweg.

Er griff sich sein Schlüsselbund vom Tisch und ging hinaus. Durchs Fenster beobachtete ich, wie er die Straße überquerte, irgendwo dort hinten stand sein roter Ascona mit dem schwarzen Kunststoffdach.

Auf dem Tisch lag neben dem Rätselheft die Zeitung mit dem aufgeschlagenen Sportteil, ich stand auf, um sie mir zu nehmen, und plötzlich war die Versuchung so groß, dass ich sie nicht mehr abwehren konnte, und ich öffnete vorsichtig die verbotene Schublade. Vor mir lag die Pistole in dem glänzend schwarzen Lederholster, die ich mir schon oft hatte ansehen, aber nie anfassen dürfen. Ich schaute aus dem Fenster, ob Stöckl schon auf dem Rückweg war, sah aber, dass der Kofferraumdeckel des Opels offen stand und er dahinter beschäftigt war. Mit dem Zeigefinger strich ich über den geriffelten braunen Griff zum Druckknopf hin, der den Halteriemen befestigte. Er klackte auf, und ich zog die Pistole langsam heraus, während ich mit der anderen Hand das Holster festhielt. Geruch von Leder und Feinmechaniköl. Und plötzlich wusste ich, dass, wenn ich diesen Augenblick nicht nutzte, die Gelegenheit vielleicht nie wiederkäme. Schnell nahm ich die Waffe hoch, verblüfft wegen ihres Gewichts. Ich drehte sie langsam, las den wellenförmig geschwungenen Schriftzug auf dem Griff und sah über diesem einen roten Punkt. Stöckl hatte mir erklärt, was dieser bedeutete, aber ich konnte mich nicht mehr erinnern, ob das hieß, dass die Waffe gesichert war oder eben nicht. Herr Stöckl stand immer noch am Wagen, und so nahm ich, wie ich es vorhin bei mir mit der Jaguarmatic getan hatte, verschiedene Gegenstände im Raum ins Visier. Den Kochtopf mit dem Bakelitgriff an der Seite, dann das magische Auge des Radios. Weil die Pistole so schwer war, dass ich sie mit ausgestrecktem Arm nur kurz halten konnte, nahm ich die andere Hand zu Hilfe und stützte den rechten Unterarm. »Papapapapapapa!«, flüsterte ich. Immer wieder schaute ich aus dem Fenster und sah jetzt, dass Bernd Stöckl sich mit einer Plastiktüte in der Hand auf dem Rückweg befand. Ich merkte, dass mir zu wenig Zeit blieb, die Waffe wieder zurückzulegen, schnell setzte ich mich auf meinen Stuhl und richtete die Pistole auf die Tür. So wollte ich Stöckl empfangen und ihm einen kleinen Schreck einjagen. Was er wohl für

19

ein Gesicht machen würde, wenn er hereinkäme? Bestimmt würde er den Scherz gleich verstehen, und wir würden uns gemeinsam kaputtlachen. In Erwartung, dass die Tür sich jeden Moment öffnete, hielt ich die Waffe weiter darauf gerichtet, legte den Finger an den Abzug, spürte den Widerstand. Es lief »Guantanamera«.

Und plötzlich, ohne dass ich wusste, woher, war da wieder dieser mich durchwogende Jähzorn, und ich dachte: Was, wenn ich wirklich schoss? Und Bernd Stöckl dann rückwärts die Treppe hinunterstürzte, so wie der Farmer in »Rauchende Colts«, welcher arglos den Drugstore, der gerade überfallen wurde, betreten hatte. Er würde seine blutige Hand vom Einschuss am Bauch nehmen, zuerst sie und dann mich anschauen, als ob er fragte, warum?

Und danach, das wusste ich in dieser Sekunde, würde alles anders sein.

»Ja, mein Gott, 'zefix«, hörte ich von draußen, ich starrte auf die Klinke, die sich jeden Moment bewegen würde, aber nichts geschah. Vorsichtig ließ ich die Pistole sinken, stand auf, schaute raus und sah Stöckl, der offenbar etwas vergessen hatte, wieder auf dem Weg zum Auto. Sofort sprang ich zum Schreibtisch, friemelte die

Waffe zurück ins Holster, schaffte es in meiner Panik aber nicht, den Druckknopf zu schließen, schob das Schubfach zurück, griff mir meinen Anorak und rannte hinaus. Die Tür donnerte an die Hauswand und dann wieder zurück ins Schloss. Auf der anderen Straßenseite sah ich Stöckl. Ich griff mir mein Rad und rannte an ihm vorbei, der mich verdattert ansah. »Tschüss, Bernd«, japste ich noch, dann sprang ich auf, trat so schnell ich konnte in die Pedale und raste auf dem Bürgersteig den Kiefernweg hinunter. Er rief mir etwas nach, was ich nicht verstand, aber sicher damit zu tun hatte, dass ich alleine nicht wegdurfte. Während ich rechts in den Waldauweg einbog, blickte ich mich kurz um und sah Stöckl immer noch dort stehen und mir im Nieselregen nachschauen. Um die Ecke, außerhalb seiner Sichtweite, zog ich mir, außer Atem, den Anorak an. Ich fuhr so schnell ich konnte in den Wald hinein, weil ich wusste, dass am Ende meiner Kräfte diese leidige Wut, von der ich nicht wusste, woher sie kam, nicht mehr so groß und beherrschend sein würde.

Später betrat ich unser Grundstück durch das hintere Tor und hörte aus der Baracke, wie gleich nach vorne gemeldet wurde, ich sei wieder aufgetaucht. Im Park begegnete ich Gabor, gab ihm das Teewurstbrot und schaute mir an, wie er es mit Zähnen und Pfote fertigbrachte, die Scheiben voneinander zu trennen, Wurst und Margarine säuberlich abzuschlabbern und den Rest liegen zu lassen.

Kurz vor sechs zog ich mich noch einmal an, ging im Dunkeln hinaus und rollte mit dem Fahrrad zur Laterne am Tor. Fast wäre ich zu spät gekommen, denn Bernd Stöckl war schon auf dem Weg zum Auto, Aktentasche in der einen, Plastiktüte in der anderen Hand. »Señor!«, rief ich ihm hinterher, er schaute sich um, sein Gesicht konnte ich nicht erkennen, wusste aber, dass er mich sah. Ich grüßte ihn, indem ich Zeige- und Mittelfinger vom Lenker hob. Dann wendete ich und fuhr weg.

Kleiner Schritt noch

An einem Tag im Jahr der ersten Mondlandung fuhr ich mit dem Oberleitungsbus der Linie 16 in die Stadt zur Buchhandlung.

Meine Mutter hatte mir zwanzig Mark gegeben, um Schulbücher zu kaufen.

Ich setzte mich auf einen Fensterplatz und ließ mich vom Vorbeiflirren der Bäume während der Fahrt durch den Wald den Berg hinunter einlullen. Im Bus hatte man als sitzendes Kind zwei potenzielle Feinde: Soldatenwitwen und Invaliden, meist Einarmige oder -beinige, auch Männer mit unheimlichen Vertiefungen in den kahlen Schädeln oder mit violetten, in ihrer Form an die Kontinente im Diercke Weltatlas erinnernden Brandmalen. Sie waren Übriggebliebene, Zeugen des großen Krieges, der noch nah und für uns

Kinder ein reicher Fundus an durchaus attrakti-
vem Grusel war. Die einen wie die anderen dieser Mumien waren aus nachvollziehbaren Gründen schlecht gelaunt und nicht zimperlich, wenn
es darum ging, Kinder von den Sitzen zu jagen.
Heute aber war der Bus leer, und ich konnte in
Gedanken versinken. Wieder und wieder überlegte ich, ob es mich wirklich gab oder ob ich mir
meine Existenz nur einbildete. Ich beobachtete
mich wie von einer erhöhten Position aus. Etwa
so, als säße ich auf einem Schiedsrichterstuhl, um
beim Tennisspielen zuzuschauen. Je länger diese
Selbstbetrachtung dauerte, desto seltsamer, un-
wahrscheinlicher wurde alles. Während einer dieser Fahrten dachte ich über den Namen meines
Freundes nach. »Ulrich«, sprach ich immer wieder leise vor mich hin. Nach einiger Zeit schien
mir die Tatsache, dass mein Gefährte diese bi-
zarre Buchstabenfolge als Namen trug, der Be-
weis dafür zu sein, dass ich mich in einer nur
eingebildeten Welt befand. Was nichts anderes
hieß, als dass es mich eigentlich nicht gab. Deswegen befasste ich mich mit dieser Frage auch
nur halbherzig, aus Angst, dass ich am Ende meines Nachdenkens verschwunden sein könnte und
dass der angsteinflößende Gott, von dem unser

Pfarrer Katzer sprach, derjenige sei, der mich eines Tages für meine angemaßte, weil nur eingebildete Existenz bestrafen würde. Und dass das Nichts, vor dem mir graute, dasselbe war wie dieser Gott. Auf dem Weg zum Bus war mir, in schwarzem Mantel und Baskenmütze, der Pfarrer Katzer entgegengekommen, und ich hatte mich in der nächsten Einfahrt versteckt, um ihn nicht grüßen zu müssen. Er unterrichtete evangelische Religion in unserer Schule, war weißhaarig und, im Unterschied zum katholischen Kollegen, der von den Schülern wegen seines schlaffen Händedrucks Forelle genannt wurde, von zackigem Auftreten. Katzers Unterricht bestand im Wesentlichen aus Weltkriegsberichten. Er war als Soldat in »der Hölle von Stalingrad« gewesen. Wir hörten immer wieder, wie froh die russischen Menschen gewesen seien, durch Katzer und seine Kameraden von den Bolschewisten befreit worden zu sein. Seine bevorzugte Züchtigungsmethode waren Kniebeugen. Jungen wie Mädchen hatten, wenn wir bei Verfehlungen erwischt wurden, von denen wir meistens gar nicht begriffen, worin sie bestanden, vor die Klasse zu treten und sich in die Ecke neben den Papierkorb zu stellen, um eine vom Pfarrer genannte Anzahl von Kniebeugen auszuführen. Verlegen absolvierte ich mit vorgestreckten Armen die albernen Übungen. Wenn der Schleifer wegschaute, zog ich Grimassen und brachte meine Mitschüler damit zum Lachen. Katzer blickte finster und dachte an Stalingrad.

Am Hauptbahnhof stieg ich aus dem 16-er und ging durch die Gangolfstraße auf den Münsterplatz zu, überquerte diesen, um dann aus der Remigiusstraße in Richtung der Buchhandlung rechts abzubiegen. Vorher allerdings wollte ich noch schnell einen kurzen Abstecher in die Spielzeugabteilung des Kaufhofs machen. Dort gab es, wie ich von Klassenkameraden gehört hatte, eine sogenannte Astronautenausrüstung zu kaufen. Die Mondlandung nahm in meinen Gedanken größten Raum ein. Bei der Astronautenausrüstung handelte es sich um eine Art Pyjama, Preis 19,90 Mark, dessen Stoff eine gummierte silberfarbene Beschichtung erhalten hatte. Auf Höhe des Herzens war er mit der amerikanischen Flagge bedruckt. Wegen der Luftundurchlässigkeit des Stoffs begann man in dem Anzug sofort zu schwitzen, was mich nicht daran hinderte, ihn gleich nach der Anprobe anzubehalten und meine übrigen Sachen in einer Plastiktüte verstauen zu lassen. Kurz beschlichen mich Zweifel, ob es anginge, mit dem für die Schulbücher vorgesehenen Geld den Gummipyjama, denn nichts anderes war er, zu kaufen. Diese Zweifel wischte ich, längst Raumpilot, entschlossen zur Seite. Ich fühlte mich als Vierter im Bunde von Armstrong, Aldrin und Collins. Komplettiert wurde das Ensemble durch ein sogenanntes Schiffchen aus demselben Stoff, das ich schräg aufsetzte, wie ich es im Fernsehen bei dem von Larry Hagman gespielten Major Tony Nelson aus der Serie »Bezaubernde Jeannie« gesehen hatte. Das Schiffchen war der Ersatz für den im Angebot nicht enthaltenen Helm, genau genommen wäre dieser ja das nächstliegende Requisit der Ausrüstung gewesen.

Zu Hause empfing mich meine Mutter mit ungläubigem Staunen. Dann schimpfte sie wegen des herausgeworfenen Geldes, was mich aber nicht interessierte. Vielmehr ging ich noch am selben Tag in meiner neuen Uniform mit einem Fünfmarkstück in der Tasche, das ich mithilfe eines in den Einwurfschlitz gesteckten Messers aus meinem Sparschwein bugsiert hatte, zum Friseur Schmitz, um mir, als weiteres Zeichen meiner neuen Berufung, mit der Schermaschine einen Mecki schneiden zu lassen.

Es gab Aufgaben zu erledigen, wichtiger noch Pflichten, meine Mission durfte keinesfalls gefährdet werden, schon gar nicht durch die Gedankenlosigkeit meiner Mutter. Natürlich liebte ich sie, aber jetzt, mit sieben, wurde es Zeit, endlich auf eigenen Beinen zu stehen und mein Schicksal selbst in die Hand zu nehmen.

Noch nie war ich so elektrisiert gewesen wie am Nachmittag des 20. Juli 1969, als die Übertragung der Mondlandung begonnen hatte. Ich hatte eine Kraft gespürt, die nur aus der Zugehörigkeit erwächst. Schon die Sportschau mit Ernst Huberty kam nicht aus dem gewohnten, sondern dem eigens eingerichteten Apollo-Studio, in dem bedeutungsvoll dreinblickende Herren das Ereignis begleiteten und kommentierten. Ganz ruhig war es, im Grunde genommen passierte nichts, weil die eigentliche Landung erst um drei Uhr morgens stattfand, als ich längst schlafen geschickt worden war. Außerdem waren die einzigen Bilder, die man zu sehen bekam, die immer gleichen: eine Reihe von Herren vor Monitoren im NASA-Kontrollzentrum. Aber die konzentrierte Unaufgeregtheit des Vorgangs weckte in mir ein tiefes Gefühl der Verbundenheit, und die Gänsehaut, die ich am nächsten Abend bekam, als ich

die Aufzeichnung der Landung und des Mond-
spaziergangs sah, bestätigte mir nur, was ich zuvor schon geahnt hatte – dass ich nicht mehr alleine war. Jedes einzelne verschwommene Bild
der Mondoberfläche, die in unserem Wega-Fern-
seher aussah wie ein riesiger Käsekuchen, und
vom Mondspaziergang der Kameraden Armstrong und Aldrin brannte sich mir förmlich ein.
Und jeder Satz, den ich während des Berichts gehört hatte, blieb mir augenblicklich im Gedächt-
nis. Im Bett sprach ich nach: »Er hat den Fuß gehoben. Ein kleiner Schritt noch.«

Ich weinte, wenn ich an Michael Collins
dachte, den dritten Astronauten, der alleine im
Raumschiff hatte zurückbleiben müssen, um auf
seine Kameraden zu warten. Was er währenddessen wohl dachte?

In den nächsten Wochen, bis das Kostüm nur
noch in Fetzen an mir herabhing, lebte ich nicht
mehr in dem großen weißen Haus, sondern im
All. Ab und zu hörte man mich murmeln: »Noch
900 Meter«, »Engineers stop« oder »Eagle ist
jetzt auf der Mondoberfläche«. Ich erwartete darauf keine Antwort, war mir selbst genug. Nie
zuvor war mir die Welt so fassbar erschienen.

Unnatürliche Stille

Als ich mittags aus der Schule kam, war der Hund tot.

Seine Decke, die sonst auf halber Höhe des Flurs bei der Wohnzimmertür gelegen hatte, fehlte. Ich ahnte schon, was los war.

Stine, das Au-pair-Mädchen, sah mich kommen und ging meine Mutter holen. Etwas sei »geschehen«, sagte diese, was ich zuerst nicht verstand. Dann, dass der schon lange kränkelnde Gabor, heute Morgen zum Tierarzt gebracht worden war, um getötet zu werden. Warum hatte mir niemand etwas davon gesagt?

Meine Mutter schaute mich an und wartete auf ein Zeichen meiner Trauer, um mich und so wohl auch sich selbst trösten zu können. Weil ich das erkannte, weigerte ich mich und nahm die Nachricht scheinbar reglos zur Kenntnis.

Kurz nach meinem dritten Geburtstag war mir, als ich die Masern hatte, der Welpe auf das Krankenbett gelegt worden, ich war vor Liebe augenblicklich verstummt. Als er heranwuchs, entwickelte der Hund einen ausgeprägten, vor allem mir geltenden Schutztrieb. So kam es auch, dass er eines Tages solcherart nach einem, meinen Vater in Dienstgeschäften aufsuchenden Beamten des Auswärtigen Amtes schnappte, dass dieser eine Hodenquetschung davontrug. Der Mann hatte mich auf seinem Weg ins Haus mit dem mir so verhassten Kopftätscheln begrüßen wollen. Ich war ausgewichen und hatte einen kurzen Unmutslaut von mir gegeben, was dem Hund reichte, um den Staatsdiener in die Schranken zu weisen. Der Vorfall spielte sich, wie gesagt, im diplomatischen Dienst ab, wurde nicht an die große Glocke gehängt und war für den Betroffenen anscheinend glimpflich abgegangen. Mir dauernd den Kopf zu tätscheln, war eine schlimme Angewohnheit vieler dieser Herren, die in unser Haus kamen. Drei bis vier Klapse auf den Hinterkopf oder die Schädeldecke, unter der mein Hirnwasser sich kräuselte wie die Oberfläche des Froschweihers, wenn ich Steinchen hineinwarf. Auch zeigte Gabor mit der Zeit eine Feindseligkeit Trachten- und Uniformträgern gegenüber, die sich hauptsächlich gegen die »Schwestern Unserer Lieben Frau« des nahe gelegenen Nonnenstifts sowie gegen die zu unserem Schutz auf dem Grundstück patrouillierenden Wachmänner des Bundesgrenzschutzes richtete. Entdeckte der Hund auf dem Spaziergang im nahe gelegenen Wald eine der Nonnen, geriet er außer sich und war nur dadurch zu bändigen, dass man die Leine um den nächsten Baum wickelte. Seltsam, dass sich die maßlose Wut ausgerechnet gegen die scheuen, freundlichen Ordensdamen richtete. Abwechselnd schrie meine Mutter den Hund an und lächelte den verschreckt davoneilenden schwarzen Gespenstern zu, beides misslang. Sie wollte ihnen unter allen Umständen zu verstehen geben, die Raserei des Hundes sei keinesfalls Ausdruck einer abschätzigen Haltung seiner Besitzer der klösterlichen Lebensform gegenüber. Vermutlich machte sie sich auch deshalb Sorgen, weil wir jetzt in einer Gegend lebten, in der der liebe Gott eine größere Rolle spielte als dort, wo wir herkamen.

Die meisten meiner neuen Freunde waren Katholiken. Am Aschermittwoch erschienen sie mit einem Kreuz über der Nasenwurzel im Unterricht, das sie nicht wegwischen, sondern augenscheinlich nur wegschwitzen durften. Das bestätigte nur meine Vermutung, die katholische Kirche sei der geheimnisvollste Ort unserer Siedlung. Nicht, dass ich mich hineingetraut hätte, um das zu überprüfen. Dazu war meine Angst viel zu groß, als Ungläubiger der Anmaßung überführt zu werden. Im Vorbeifahren mit dem Fahrrad warf ich einen Blick durch die offene Kirchentür und schaute in die dunkle bunte Höhle. Kaum losreißen konnte ich mich und fuhr beinahe gegen einen Laternenpfahl, blieb endgültig stehen, näherte mich dann aber nicht weiter, weil hier eindeutig Leute am Werk waren, die ihr mysteriöses Geschäft verstanden und zu denen ich nicht gehörte. Außerdem lagen dort öfter Leichen herum, wie Manni Wimmer mir erzählt hatte. Einmal hatte ich vor der Kirchentür eine weinende Frau gesehen, die von zwei älteren Männern gestützt wurde, um sie herum viele schwarz gekleidete Leute. So also sah Trauer aus, dachte ich und suchte wie ein erschrecktes Tier das Weite.

Als ich vor Jahren mit den Eltern bei unserem Einzug in das Haus auf dem Venusberg, unsere zukünftige Heimat, aus dem Auto gestiegen war, hatte der Hausmeister, Herr Konopka, vor dem Eingang Haltung angenommen und uns mit seinem deutschen Schäferhund Ajax an der Seite empfangen. Ajax, so hießen Hunde damals, auch Rex oder Hasso, Waldi die kleinen. Menschen hießen damals wie heute Labradore heißen. Ich blieb auf Distanz, nicht des Hundes wegen, sondern weil mir das purpurne Gesicht seines Besitzers und dessen pomadisiertes weißes Haar mit den gelben Strähnen nicht geheuer waren. Mein Vater gab dem Hausmeister die Hand, schaute dabei in eine andere Richtung und war gedankenverloren schon im Haus verschwunden. Wie üblich brach meine Mutter das Eis und vereinbarte mit Herrn Konopka, dass es besser sei, die Hunde nicht gleich aufeinandertreffen zu lassen. Sie sollten sich langsam daran gewöhnen, künftig ein Revier miteinander zu teilen, so die Überlegung. Nach einigen Tagen erschien dann ein Beamter der örtlichen Polizeihundestaffel, um die Zusammenführung von Ajax mit dem Neuankömmling zu beaufsichtigen. Erstaunlicherweise herrschte wohl die Vorstellung, die Hunde könnten sich anfreunden, zumindest aber sich in einer Art Koexistenz dulden. Diese hatten allerdings ihre eigene Art, die Sache zu regeln.

Neugierig wartete ich vor dem Haus auf den angekündigten Polizeihundeführer, es erschien ein korpulenter Herr in Kniebundhosen, aber als es spannend wurde, schickte man mich leider ins Haus. Drinnen setzte ich mich auf die Treppe, um zu lauschen, was passierte. Zu hören war erst eine lange, unnatürliche Stille und gleich darauf die Hunde, die nicht knurrten oder bellten, sondern sich anbrüllten. Dazwischen Rufe des Mediators, in denen die Aussichtslosigkeit schon mitklang.

Die Tiere hatten sich sofort in einen heftigen Kampf gestürzt. Nur durch mutiges Dazwischengehen des Polizisten konnten sie, wie ich später hörte, davon abgehalten werden, sich die Kehlen zu zerreißen. Ajax, bisher Herrscher des Anwesens, verlor nicht nur den Kampf, sondern auch ein großes Stück des linken Ohres. Lange noch waren die eingetrockneten Blutflecken auf dem Asphalt der Auffahrt zu sehen. Er musste von da an in dem abseits gelegenen Zwinger leben, während sein siegreicher Rivale vorgeblich desinteressiert vor dem Käfiggitter auf und ab stolzierte.

Manchmal, wenn Gabor es nicht mitbekam, besuchte ich den Geschlagenen und sprach mit ihm. Der Zwinger lag, von Nadelbüschen umgeben, abseits des Hauses in Richtung der Garagen. Ich trieb mich dort gerne herum und übte auf dem nahen Hof Fahrradkunststücke. Rechts neben der Garage stand meine Schaukel. In lautem Selbstgespräch verbrachte ich Stunden mit dem Versuch, einen Überschlag hinzubekommen wie die Schiffsschaukelbremser auf dem Rummelplatz. Wenn ich mich ihm näherte, sah Ajax mich trübe an und machte ein Geräusch, das mehr ein Kollern als Knurren war, so als würde er eher der Form genügen, als mich wirklich zu bedrohen. Er zog die rechte Lefze hoch und zeigte müde seinen gelben Reißzahn, alles an ihm sah aus, als ob er nach der Niederlage plötzlich zum Greis geworden war und mit der Demütigung, dass der andere ihn am Leben gelassen hatte, nicht zurechtkam. Neben dem Zwinger fand ich eines Tages, als ich zum Pinkeln ins Gebüsch gegangen war, das abgebissene Stück Ohr. Niemand hatte sich im Getümmel dafür interessiert. Es lag dort, ganz staubig, ich hob es auf und betrachtete es, roch daran. Schließlich buddelte ich mit der herbeigeholten Sandkastenschaufel ein Loch und vergrub den Fellfetzen. Ajax sah der Bestattung des Ohres aus seinem Gefängnis zu. Eines Tages war er einfach weg. Ich traute mich nicht, seinen Besitzer nach ihm zu fragen, Herr Konopka schaute noch finsterer als zuvor, und ich genoss, dass er mir nichts anhaben konnte.

Immer noch stand ich nach dem Empfang der Todesnachricht im Hausflur. Da mich diese scheinbar nicht aus der Bahn geworfen hatte, war meine Mutter wieder gegangen und hatte mich dort allein gelassen. Auf dem Teppich entdeckte ich ein paar der langen weißen Haare, von denen Gabor in letzter Zeit immer mehr verloren hatte, sodass sein früher dichtes Fell ganz fadenscheinig geworden war, und der fast kahle Schwanz wirkte wie ein verdorrter Ast, den man ihm an den Hintern geklebt hatte.

Bevor am Ende wieder jemand wissen wollte, wie es mir ging, rannte ich in den Garten und kletterte auf die Weide. Eigentlich stand sie zu nah am Haus, um ein brauchbares Versteck zu bieten, aber ihre dünnen Zweige reichten bis auf den Boden, wie ein Vorhang, hinter dem ich unbemerkt blieb. Dort hockte ich und dachte an Gabor, wie ich im Sommer mit ihm auf einer Wolldecke im Garten gelegen und die Wolken gezählt hatte, seinen massigen Leib als Kopfkissen benutzend. Er hatte in der Hitze wie wild gehechelt, sich aber nicht von der Stelle gerührt, ständig die Umgebung im Blick, ob jemand mir zu nahe kam. Im Baumversteck zog ich eine Grimasse und versuchte, die Tränen, die ich meinem toten Gefährten zuliebe jetzt von mir erwartete, herauszupressen, aber es gelang mir nicht. Die weinende katholische Frau fiel mir ein, deren Kraftlosigkeit, und ich überlegte, mich einfach vom Ast herunterfallen zu lassen und dort liegen zu bleiben, bis mich jemand fand. Ich traute mich aber nicht, gab auf und blieb sitzen, ohne noch etwas zu denken oder zu fühlen. Schließlich griff ich mir ein Bündel der dünnen Zweige und schwang mich mit einem Schrei hinunter, einige brachen ab, und ich prügelte mit ihnen auf den nächsten Strauch ein.

Du und ich

Ihre Heimreise begann mit der Autofahrt nach Kiel, von dort aus nahmen meine Mutter und ich die Fähre nach Oslo.

In der Hafenstadt angekommen, versuchte ich schon von Weitem zu erkennen, welches Schiff uns am Kai erwartete. Ob wir mit der vertrauten Kronprins Harald oder der moderneren Prinsesse Ragnhild fuhren. Alles war abenteuerlich. Die Abreise um sechs Uhr früh, damit man pünktlich zum Ablegen des Schiffes am Mittag in Kiel war, genauso wie die Ungewissheit während der langen Fahrt durch das halbe Land, ob man es rechtzeitig schaffte.

Als wir in den dunklen Schiffsbauch hineinfuhren, glühte mein Gesicht. So, wie die Schiffsrampe polterte, war ich unsicher, ob sie unser

Auto tatsächlich tragen würde. An der Rezeption dann der spezielle, mich auf die bevorstehenden Ferien einstimmende Geruch nach Meer, Küchendämpfen und Schmierseife.

Plötzlich waren um mich lauter Frauen, die sprachen wie meine Mutter und aussahen wie meine Tanten, zwischen denen ich mich augenblicklich wohlfühlte.

Norwegen, wohin wir unterwegs waren, schien mir ohnehin ein Land zu sein, das im Wesentlichen von Tanten, Onkeln, Cousinen und Cousins bevölkert war. Dieses Land, hatte meine Mutter mir beigebracht, sei unsere eigentliche Heimat, also auch meine, obwohl ich dort nie gelebt, sondern nur die Ferien verbracht hatte. Einmal hatte sie mich gefragt, ob ich mir vorstellen könne, mit ihr dorthin zu ziehen »… wir zwei, du und ich«. Um ihr zu gefallen, sagte ich gegen mein Empfinden ja, hoffend, dass es sich nur um eine Laune handelte.

In der Kabine kniete ich mich aufs Bett. Aus dem Bullauge sah ich ein im Hafen liegendes U-Boot. Beim Mittagessen im Schiffsrestaurant sagte der weißhaarige Kellner, wie sehr er sich freue, mich wiederzusehen. Immerhin würden wir uns schon ein Leben lang kennen.

Das Schiff war in meinem Geburtsjahr in Dienst genommen worden, und meine Mutter hatte es mit dem Säugling kurz nach meiner Geburt genutzt. Deswegen galt ich, so der Kellner, als der jüngste Passagier, den diese Fähre bisher befördert hatte, und war für die Besatzung eine Art Talisman. Manchmal wurde ich während der Überfahrten per Lautsprecher ausgerufen, ich möge bitte zum Kapitän auf die Brücke kommen. Ich machte mich also auf den Weg und hatte an einem durch eine Kordel versperrten Durchgang zu warten, bis mich ein Offizier abholte und ins Steuerhaus brachte. Dort durfte ich mir alle Instrumente anschauen und das Lenkrad halten, bevor ich mich mit einem militärischen Gruß von Kapitän und Mannschaft wieder verabschiedete, den diese erwiderten, und zu meiner Mutter zurückkehrte.

Nach dem Karamellpudding, auf den ich mich schon die ganze Autofahrt über gefreut hatte, erbettelte ich von meiner Mutter ein paar der Einkronenstücke mit dem Loch in der Mitte und lief zum Geldspielautomaten. Es war ein sogenannter einarmiger Bandit mit dem geschwungenen Schriftzug »Bally« auf der Vorderseite.

Ich wartete, ob dreimal die rote Sieben oder sogar die Zitronenreihe im Sichtfenster erscheinen würden, wenn die Walzen, die ich mit einem kräftigen Zug am seitlichen Hebel zum Rotieren gebracht hatte, zum Halten kamen. Ich gewann nie, was mich aber nicht sonderlich störte. War die Attraktion doch der hypnotisierende Moment, in dem ich auf die kreisenden Zahlen und Symbole starrte und den dadurch erzeugten Schwindel genoss. Vor den heruntergelassenen Rollläden des Duty-free-Shops hatte sich eine Menschenschlange gebildet. Worauf alle diese Leute nur warteten? Eine Weile nachdem der Laden geöffnet hatte, hörte man von Deck lautes Gerede, Lachen und Krakeelen.

Während meine Mutter versuchte, ihren Mittagsschlaf zu halten, und ich auf dem Sofa fläzend in meinem Mickymausheft las, reiherte vor unserem Fenster jemand röchelnd über die Reling. Meine Mutter schnalzte kaum hörbar mit der Zunge und schüttelte unter ihrer Schlafmaske den Kopf über die am frühen Nachmittag volltrunkenen Landsleute, die dort draußen schon aufs Ganze gingen. Das Tohuwabohu am helllichten Tage kam daher, dass diese vor zwei Stunden noch so zurückhaltenden Menschen der Auffassung waren, ein Rausch tauge nur dann etwas, wenn man ihn bis zur Grenze der Besinnungslosigkeit treibe, und zwar möglichst schnell. Sonst, so hatte man es sich in ihrer Heimat zurechtgelegt, sei das Ganze Zeit- und Geldverschwendung. Am späten Nachmittag gingen wir in die Schiffsbar, »Til 1.kl.salong« stand auf den wegweisenden Messingschildern. Dort trank meine Mutter Kaffee, und ich bekam ein Stück grüner Marzipantorte, die auf Norwegisch Blødkake heißt, worüber ich lachen musste. Mir wurde von Kuchen und Seegang schlecht, mittlerweile war der unruhigste Teil der Passage, das Skagerrak, erreicht. Die rosa Reisetabletten, die ich zum Antritt der Fahrt hatte schlucken müssen, hatten nichts genützt. Ich lag im Bett und schaute an die Decke, neben mir die lesende Mutter, bereit, meinen Kopf beizeiten über die Kloschüssel zu halten. Vorsichtig drehte ich mich zu ihr und sah sie an. In ihr Buch vertieft, bemerkte sie es nicht. Wie verändert sie im Vergleich zur letzten Zeit aussah. In den Tagen und Wochen zuvor war sie oft krank gewesen, von Kopf- oder Magenschmerzen geplagt. Ich hatte mich im Halbdunkel ihres Zimmers, die Vorhänge waren auch tagsüber zugezogen, ans Fußende des Bettes gesetzt und sie trösten wollen. War die Migräne heftig gewesen, hatte sie mich gebeten, sie in Ruhe zu lassen und zu gehen. Ich war beleidigt in ihren nebenan gelegenen Ankleideraum statt zurück in mein Zimmer gegangen und hatte mich in den großen Kleiderschrank gesetzt, in dem, wenn man die Türe öffnete, eine kleine Glühbirne aufleuchtete. Dort kauerte ich mich zwischen die weichen, duftenden Kleider und schloss die Schranktür gerade so weit, dass das Licht nicht ausging. Weil ich lange blieb, gab es im Haus Aufregung wegen meines Verschwindens.

Meine Mutter blickte jetzt von ihrem Buch auf und fragte, ob es mir besser ginge. Ich antwortete nicht, schaute nur. Sie lächelte und las weiter. Man konnte zusehen, wie etwas von ihr abfiel und sie zu sich fand.

Später, als es schon lange dunkel und die See wieder ruhiger war, fühlte ich mich besser. Meine Mutter ging mit mir hinaus, um ein bisschen frische Luft zu schnappen. Die Tür zum Deck war so schwer, dass es unser beider Kräfte brauchte, um sie aufzustoßen. Jedenfalls ließ sie mich glauben, hierfür meine Hilfe zu benötigen. Laut stöhnend drückte meine Mutter die Tür auf, während ich, hinter ihr stehend, die Hände auf ihrem Hinterteil, wiederum *sie* schob. Draußen schauten wir aufs Meer. Sie hatte den Arm um mich gelegt, es war kaum etwas zu sehen, nur der weiße Schaum auf den sich am Schiffsbug brechenden Wellen. Ich lauschte dem Tosen der See, dem Wummern des Schiffsmotors tief unter uns und den uns bereits den ganzen Weg begleitenden, kreischenden Möwen. Waren es wohl die ganze Zeit dieselben? Und, wenn ja, würden sie morgen, wieder dem Schiff folgend, zurückfliegen? Oder in Norwegen bleiben, wie wir? Waren sie ebenfalls auf dem Heimweg, wie meine Mutter? Oder kamen sie von zu Hause, wie ich? Ich fürchtete mich vor dem riesigen, rauchenden Schornstein neben uns und drängte mich enger an sie, umschlang sie mit den Armen. Ein feuchter Film legte sich auf mein Gesicht, ich leckte mir über die salzigen Lippen. Wenig später schlief ich, erschöpft vom Tag, schnell ein.

Im Morgengrauen schaute ich hinaus, um festzustellen, ob wir uns schon im Oslofjord befanden. Die letzten Stunden legte unser Schiff in diesem Meeresarm zurück. Kleine rote Holzhütten auf den felsigen Hügeln, zum Greifen nah. Schnell zog ich mich an und lief hinaus. Neben der Tür wartete ich, bis ein Erwachsener sie aufstieß, und schlüpfte mit hinaus. Durch den kalten Wind taumelnd, tastete ich mich, immer in der Angst, im nächsten Augenblick weggeweht zu werden, an der Reling entlang zum Bug und schließlich auf die andere Seite des Schiffes, um das gegenüberliegende Ufer zu inspizieren. Wie es aussah, war alles dort, wo es hingehörte. Das war das Wichtigste. Wie verabredet ging ich zurück, um meine Mutter zum Frühstück abzuholen. Auch das war jetzt ein anderes als zu Hause. Rømme, ein mit Zucker bestreuter fetter Sauerrahm, in den meine Mutter Knäckebrot gebröselt hatte. Danach lief ich wieder an Deck und sah in der Ferne schon den Hafen von Oslo, dahinter das Rathaus mit den zwei mächtigen Türmen. Links das Kontiki-Museum, in dem das Floß ausgestellt war, mit dem der Abenteurer Thor Heyerdahl den Ozean überquert hatte. Daneben das mit Fridtjof Nansens Polarforschungsschiff Fram. Beide Museen, auch das mit dem wiederhergestellten Wikingerschiff, hatten wir letztes Jahr bei unserem obligatorischen Ausflug in die Hauptstadt besucht. Lange hatte ich vor den Fotografien des sehnigen, braun gebrannten, nur mit einem Lendenschurz bekleideten Floßfahrers und des streng in die Kamera blickenden Polarforschers mit dem mächtigen Schnauzbart in seinem Robbenfellmantel gestanden. Je länger ich dort die Bilder der Helden betrachtet hatte, desto mehr hatte ich mich selbst wie einer dieser Glücksjäger gefühlt und begonnen, mich in dieser Illusion aufzulösen.

Von meiner Mutter, die den umgekehrten Weg gegangen und auf ihre Art gerade dabei gewesen war, sich aus einer Scheinwelt zu lösen, war ich in die Wirklichkeit zurückgeholt worden. Sie hatte mich an den Schultern gefasst, herumgedreht und zum Museumsausgang geführt, wo ich ein Softeis bekam. Später war ich über die nahe gelegene Wiese gerannt, ihren Regenschirm in der Hand, und hatte damit unter Kampfgeschrei heruntergefallenes Laub harpuniert.

Die Fähre hatte jetzt nur noch ein paar Hundert Meter bis zum Anleger, und meine Mutter meinte, dass es Zeit sei, zum Auto hinunterzugehen. Im Keller des Schiffes war es heiß, die Dieselmotoren stampften. Abgasgeschwängerte Luft, unheimlich. Gleichzeitig freute ich mich auf die Ankunft.

Nachdem das Schiff pünktlich angelegt hatte, reihten wir uns mit unserem beigefarbenen BMW in die Schlange vor der Pass- und Zollkontrolle ein. Ich betrachtete die sogenannten Autofahrerhandschuhe meiner Mutter aus hellem Schweinsleder, die auf dem Handrücken und über den Fingerknöcheln ausgeschnitten waren. Fragte mich, ob es nicht einfacher wäre, in der warmen Jahreszeit die Handschuhe ganz wegzulassen, anstatt Löcher hineinzuschneiden. Der Zollbeamte wurde von meiner Mutter geradezu familiär begrüßt, und es entspann sich eine charmante Plauderei zwischen den beiden, so, als handele es sich um alte Bekannte. Offenbar freuten sie sich aufrichtig über ein Wiedersehen nach langer Zeit. Später, als der Uniformierte uns weitergewunken hatte und wir das Hafengelände in Richtung der Europastraße 6 verlassen hatten, fragte ich sie, ob sie den Mann gekannt habe. Sie grinste, sagte aber nichts. Erst Jahre später verstand ich, dass sie ihn becirct hatte, weil sie Unmengen von Alkohol und Zigaretten schmuggelte. Deshalb die vielen, sorgsam unter einer Wolldecke verborgenen Pappkartons, die den halben Kofferraum einnahmen.

Schnell hatten wir Oslo hinter uns gelassen und fuhren durch die felsige Waldlandschaft. Unser Ziel war die etwa anderthalb Fahrtstunden entfernte Kleinstadt, in der die Verwandtschaft lebte und in deren Nähe auch unser Ferienhaus lag.

Auf halber Strecke hielten wir am südlichen Ende des Binnensees, an dessen Ufer wir den Rest der Strecke zurücklegen würden. Meine Mutter begrüßte ihn mit einem leisen, erleichterten »Ja«, was lustig klang, weil sie es auf norwegische Art aussprach, indem sie die Luft dabei nicht ausstieß, sondern einsog. Eine knappe Stunde war noch zu fahren, gegen elf erreichten wir dann das Haus meiner Tante Hedvig. Seit dem frühen Tod ihres Mannes, Onkel Nils, führte sie das Speditionsunternehmen. Sprich, sie saß in ihrem küchenähnlichen Büro neben der Garage, nahm telefonisch Aufträge entgegen, organisierte die Fahrten und teilte Fahrer ein. Dabei trank sie mindestens zwanzig Tassen Kaffee am Tag und rauchte eine Mentholzigarette nach der anderen.

Tante Hedvig kam uns auf dem Garagenhof entgegen. Wir nahmen uns in den Arm und begrüßten uns auf Landesart mit einem Klem, bei dem man die Wangen aneinanderlegt, ohne zu küssen. Als Älteste der schon lange elternlosen Schwestern meiner Mutter war sie das Familienoberhaupt und verwahrte unseren Hausschlüssel. Dann gab es Kaffee und Unmengen von Selbstgebackenem, das sie in Blechdosen lagerte, schließlich fuhren wir weiter. Es ging noch etwa fünfzehn Kilometer über Land, vorbei an großen Gehöften und gelb leuchtenden Rapsfeldern. Hügelige Weiden standen voller braunweiß gefleckter Kühe, die wir begrüßten, indem wir die Autofenster herunterkurbelten und ihnen zumuhten. Ich schaute zu meiner Mutter hinüber. Sie trug ihren hellen Trenchcoat, ein lachsfarbenes Kopftuch, dazu die ovale Sonnenbrille, die ich aufsetzte, wenn ich vor dem Garderobenspiegel Luftgitarre spielte und »She Loves You« sang, was meine erste selbst erworbene Single gewesen war. Die Sonne schien durch das geöffnete Schiebedach. Die frische Luft, den Geruch des Viehs, der feuchten Erde, des Motors und ihres Parfüms, das alles sog ich ein. Ich warf mich ihr in den Schoß, sie lachte und streichelte mir über den Kopf. In diesem Moment war ich mir ganz sicher, dass uns beiden niemals etwas Schlimmes würde zustoßen können. Sie schob mich ein wenig zur Seite, denn sie musste herunterschalten, um links in den steil ansteigenden schmalen Weg zu unserem Haus einzubiegen. Ich stieg aus und öffnete das schwere Holztor, dann rannte ich dem vorausfahrenden Wagen nach. Auf dem Hügel sah ich das dunkelbraune hölzerne Haupthaus liegen. Rechts darunter das Pfahl-, links das Nebenhaus, in denen ich manchmal in lautem Selbstgespräch Alleinleben spielte, bis die Stimme der Mutter mich zurückrief. Nach dem Ausladen des Gepäcks öffnete sie alle Fenster und Türen und ließ die kühle Mailuft durchs Haus wehen. Sie schaltete das alte Radio an, Musik tönte über das Grundstück bis in den dahinter gelegenen Wald. Schön war es in dieser Welt, die sich nicht gleich veränderte, wenn man ihr kurz den Rücken zudrehte. In der die Menschen um mich herum nicht ständig den Eindruck von Wachsamkeit erweckten.

Ich ging in mein Zimmer und suchte meine Davy-Crockett-Trapperausrüstung heraus, um in ihr meinen ersten Inspektionsgang über unser Grundstück und durch den angrenzenden Wald zu machen. Hemd und Hose waren braun, mit Fransen und Westernstickereien versehen. Ich setzte die Waschbärfellmütze mit dem gestreiften Schweif auf. Mein doppelläufiges Korkengewehr hängte ich über die eine Schulter, Bogen und Pfeilköcher über die andere. Dann befestigte ich mein Plastikfahrtenmesser am Gürtel. Aus dem von Tante Hedvig am Vortag gefüllten Kühlschrank holte ich eine Flasche Solo-Limonade. Meine Mutter sah die Verkleidung und lachte. Sie strich mir über die Wange. Ich ging hinaus und auf das Tor zu, das in den Wald führte. Auf dem Weg schaute ich an dem durch das Grundstück verlaufenden Bach nach, ob mein im Vorjahr mit dem Waldarbeiter Ole Skinnhaugen gebautes Wasserrad noch lief. Immer wieder hatte ich während unserer gemeinsamen Arbeit daran auf seine linke Pranke, besonders den Stumpf seines Jahre zuvor durch einen Axthieb verloren gegangenen Daumens gestarrt. Mit der rechten Hand schützte ich meine Augen vor der hochstehenden Sonne, schaute nach oben zum Dach und versuchte zu erkennen, ob das Hornissennest unter der Regenrinne noch da war, weswegen ich den ganzen letzten Sommer mein Fenster nicht hatte öffnen dürfen.

Hier, wo ich jetzt stand, waren meine Mutter und ich im letzten Winter einer Elchkuh mit ihrem Kalb begegnet. Die beiden hatten unser Kommen nicht bemerkt, und wir standen uns gegenüber und schauten einander an. Die Tiere hatten vor den weißen Schneehügeln noch mächtiger gewirkt als bei den seltenen sommerlichen Begegnungen. Auf einmal zuckten sie, ein letzter Blick zu uns, und im nächsten Augenblick flüchteten die beiden ganz und gar gleichzeitig auf ein für uns nicht erkennbares Zeichen. Wir waren noch eine Weile reglos dort stehen geblieben und hatten ihnen auch dann noch nachgeschaut, als sie schon lange in der Dunkelheit des Waldes verschwunden waren.

Jetzt drehte ich mich noch einmal um und sah meine Mutter, die Kaffeetasse in der Hand, im Windfang stehen. Sie rauchte eine Zigarette und hatte mir die ganze Zeit nachgeschaut. Wir winkten uns kurz zu, dann öffnete ich die Holzpforte und ging in den Wald, um zu jagen.

Puppenkönig

Auferstehungskirche. Der Name, dachte ich lange Zeit, käme vom frühen Aufstehen, weil wir dorthin donnerstags in der ersten Stunde zum Schulgottesdienst mussten. Gleich neben der Kirche lag das Wohnhaus des ehemaligen Bundespräsidenten Heinrich Lübke. Zu dessen Geburtstag traten wir mit allen Schülern unserer Grundschule dort an, um dem Greis das Lied »Viel Glück und viel Segen« zu singen. An der Seite seiner Frau kam er vor die Tür und nahm die Prozedur reglos zur Kenntnis. Am Ende des Kanons bedankte sich Frau Lübke dann bei der Schuldirektorin, und der Präsident wurde, nachdem er uns ein wenig zögerlich zugewunken hatte, schnell wieder hineingeführt. Wir rannten erleichtert auf dem herbstlichen Waldweg, der hinter der Kirche entlangführte, zurück zur Schule. Ich fragte mich, warum statt einer imposanten uniformierten Blaskapelle, wie es im Fernsehen vor dem Palast der Königin von England zu deren Geburtstag zu sehen gewesen war, ausgerechnet *wir* dem Staatsoberhaupt musikalisch hatten huldigen müssen, zudem in dessen Garageneinfahrt.

Wenn wir sangen, stellte ich mich in die hinterste Reihe, weil ich befürchtete, die Frau des Präsidenten würde mich inmitten der anderen Kinder erkennen und womöglich persönlich begrüßen und so aus der Masse hervorheben, was ich mehr scheute als irgendetwas sonst.

Was keiner meiner Mitschüler wusste: Hin und wieder war ich mit dem sieben Jahrzehnte älteren Herrn Lübke und seiner Frau zum Kakaotrinken verabredet. Unsere Gärten grenzten aneinander, es gab ein kleines Tor im Zaun, durch das ich, von meiner Mutter zurechtgemacht und geschniegelt, zu meiner Verabredung ging. Mit einem nassen Kamm zog sie mir dann den Scheitel, ich trug Pepitahosen, ein weißes Oberhemd, die rote Krawatte mit Metallclip, mit dem ich mir einmal schmerzhaft die Haut an der Gurgel eingeklemmt hatte, und den dunkelblauen Clubblazer mit dem Ankerwappen auf der Brusttasche, außerdem schwarze Lackschuhe. Zufrieden betrachtete ich mich im Spiegel und machte mich, den Hund Gabor an meiner Seite, gemessenen Schrittes auf den Weg durch unseren Park zu der kleinen Pforte, deren einziger Benutzer ich war und die sich, als ich die rostige Klinke heruntterdrückte, quietschend öffnete. Unterwegs hatte ich einen Zweig aus den Büschen gebrochen, den ich entlaubte und dann so tat, als müsse ich, wie mit einer Machete bewaffnet, einen Pfad durch das angebliche Dickicht der dort am Zaun wachsenden Farne frei schlagen.

Meine Freundschaft mit Heinrich Lübke und seiner Frau Wilhelmine hatte begonnen, als ich vier Jahre alt war. Damals noch im Amt, hatte der Bundespräsident meine Mutter und mich in sein Schloss eingeladen, dort hatte ich von ihm ein prachtvolles Stofftier geschenkt bekommen. Einen Elefanten der Firma Steiff auf Rädern, der so groß war, dass ich damals, einen Meter fünf messend, auf ihm hatte reiten können. Ein Exemplar davon stand als Blickfang im Fenster der Spielwarenhandlung Puppenkönig, um bestaunt, nicht, um gekauft zu werden.

Ihn zu besitzen schien kaum denkbar, nicht

einmal für die in der Nachbarschaft wohnenden Söhne des Süßwarenfabrikanten, Volkmar und Harald, die gerne mit ihrer riesigen Carrerabahn protzten und sich ihr Privileg, die Mitspieler auswählen zu können, auch noch mit Unterwürfigkeit bezahlen ließen. Deswegen war ich immer hin- und hergerissen zwischen der verführerischen Gelegenheit zur Angeberei und der Peinlichkeit, die es bedeutete, den Elefanten mein Eigen nennen zu können. Meistens versteckte ich ihn, bevor Besuch kam. Ganz unbefangen freuen konnte ich mich über das zu große Geschenk jedenfalls nie.

Bevor ich das Gartentor jetzt vollständig öffnete, um durch den Lübke'schen Garten zu deren Haustür zu gelangen, schmiss ich für Gabor einen im Gestrüpp herumliegenden Stock, dem er hinterherjagen konnte, und befahl ihm, an der Pforte auf mich zu warten.

Vielleicht verstanden Herr Lübke und ich uns deshalb gut, weil seine Wahrnehmung sich damals aufgrund der Krankheit, unter der er litt, wieder der eines Kindes annäherte und unsere Entwicklungswege sich kreuzten.

Wir saßen im Wohnzimmer und tranken heiße Schokolade, ich auf dem Sofa, mein Freund mir gegenüber in einem Sessel, seine Frau links neben ihm in einem anderen. Die meiste Zeit schwiegen wir, der Präsident sah aus dem Fenster und lächelte. Unsere Unterhaltungen beschränkten sich meist auf wenige Sätze: »Hm, gut der Kakao, was?«, sagte er, was ich bejahte, um dann meine Frage »Wann hast du Geburtstag?« anzubringen, von der ich mir sicher war, dass sie ihre Wirkung nicht verfehlen würde. Herr Lübke schaute zu seiner Frau. »Am vierzehnten Oktober, Heini«, sagte sie, und obwohl ich die Antwort wegen des alljährlichen Ständchens schon kannte, klatschte ich in die Hände, strahlte scheinbar überrascht und rief: »Nur eine Woche nach mir! Wir haben dasselbe Sternzeichen!«

In seinen Augen sah ich, dass er sich freute, hauptsächlich wohl darüber, dass *ich* mich freute. Frau Lübke nickte mir kaum wahrnehmbar zu.

Wenn wir lange genug stumm aus dem Fenster geschaut hatten, stand ich auf, um mich zu verabschieden. Ich gab Heinrich Lübke und seiner Frau die Hand, machte dabei einen Diener, wie meine Mutter es mir beigebracht hatte, und begab mich auf den Heimweg. Der Kies knirschte unter meinen zu klein gewordenen Lackschuhen. An der Gartenpforte erwartete mich Gabor, der dort, was ich vom Fenster aus schon gesehen hatte, ausharrte, wie es ihm aufgetragen war. Unterwegs klemmte ich ihm die rote Krawatte ans Halsband, sie baumelte vor seiner weißen Brust herum, ich musste lachen, und er wedelte.

Meine Mutter wollte wissen, wie es gewesen war. Die Frage hatte ich erwartet und ich antwortete so einsilbig wie immer, wenn ich von diesen Besuchen zurückkehrte: »Schön.«

»Erzähl doch mal«, hörte ich sie noch sagen, während ich bereits die Zimmertür hinter mir zugepfeffert hatte. Ich fühlte mich dem alten Mann gegenüber verpflichtet, mit niemandem zu teilen, was während dieser Besuche geschah oder eben nicht. Heinrich Lübke, der mir, dem ihm damals ja noch vollkommen unbekannten Kind, mit dem Elefanten das größtmögliche Geschenk gemacht hatte. Auch wollte ich nicht über das Treffen sprechen, weil ich vor Kurzem mitbekommen hatte, dass er als Witzfigur galt und öffentlich verhöhnt wurde. Auch bei uns am Esstisch war gekichert worden, als sein Name fiel. Sie lachten anscheinend darüber, dass ihm meist die richtigen Worte fehlten und er dann, anstatt lieber zu schweigen, die denkbar ungeeignetsten verwandte. Ich wusste, wie das war. Jedenfalls fühlte ich mich ihm in diesem Augenblick näher als allen, die sich über ihn erhoben. Obwohl ich mich ärgerte, protestierte ich nicht, sondern blieb stumm, aus Angst, dass der Spott sich sonst noch gegen mich richten würde. Später in meinem Zimmer schämte ich mich dieser Feigheit.

Die Einladungen hörten auf, sicherlich weil die Krankheit fortschritt. Auch sah ich Heinrich Lübke kaum mehr in seinem Garten stehen und auf das Gras starren. Beinahe schon vergessen hatte ich ihn, als eines Tages die aufgeschlagene Zeitung mit der Meldung seines Todes auf dem Wohnzimmertisch lag.

Sport und Musik

Jetzt, als Torwart, würde ich mein bisheriges Ich hinter mir lassen, um ein vollkommen anderer zu werden.

Kurz vor dem Spiel hatte sich Nettekoven, der eigentliche Torhüter, krank gemeldet. Weil ich ihn beim Training manchmal vertreten hatte, steckte man mich kurzerhand in seine Sachen. Ich hatte keine Sekunde Zeit, über meine Ambition nachzudenken, deshalb machte ich meine Sache gut, und wir gewannen.

Fußball war die größte Leidenschaft, die ich bisher empfunden hatte, die ganze Woche war auf die Trainingszeiten und Spiele ausgerichtet. Alles prädestinierte mich zum Fußballer. Außer, dass ich nicht gut war. Der Ball tat nicht, was ich wollte. Außerdem fehlte mir aufgrund einer angeborenen Schwäche die Fähigkeit des räumlichen Sehens. Ich sah die Kugel als Scheibe. Entfernungen konnte ich schlecht einschätzen. Alles in allem: Ich war für Ballspiele vollkommen ungeeignet.

Meiner Liebe tat das keinen Abbruch. Ratlos stand ich erstmals vor der Frage aller Fragen: Wieso werde ich, wenn ich mein Herz verschenke, nicht zurückgeliebt? Wie ist das möglich? Es war besser, ahnte ich, diese Frage nicht zu gründlich zu stellen und schnell an etwas anderes zu denken.

Mein nächster Gedanke war folgender: Wenn ich schon nicht so leben konnte, wie ich fühlte, warum konnte ich dann nicht einfach so tun, als ob? Wäre das dann, wenn ich nur überzeugend genug wäre und fest an die Täuschung glaubte, nicht dasselbe wie die tatsächliche Erfüllung meiner Sehnsucht? Konnte ich das ersehnte Leben nicht einfach spielen? So, dass es für niemanden, außer für mich, von der Realität zu unterscheiden wäre?

Ich brauchte eine Verkleidung, die passende Hülle, das war das Erste.

Meine Mutter davon zu überzeugen, mir Geld für eine Torwartausrüstung zu geben, war nicht schwer.

Chauffiert von Herrn Hunke, dem Hausmeister, machte ich mich auf den Weg zum örtlichen Sportgeschäft Wurm. Den Venusberg hinunter, an der Araltankstelle links, durch Poppelsdorf zum Hauptbahnhof. Dort parkten wir und gingen zur gegenüberliegenden Sporthandlung. So, als würde ich einer ernsten, höheren Pflicht genügen, betrat ich, begleitet von Herrn Hunke, das Geschäft. Das hier, so viel war klar, war kein Spaß. Bei Sport-Wurm, einem für heutige Verhältnisse kleinem Laden, standen die Regale voller Sportschuhe. Große Stapel der blauen Adidas- und grünen Pumakartons.

Die Adidasschuhe hießen Uwe oder Franz Beckenbauer, es gab etwas teurere mit dem fantasieanregenden Namen Laplata. Von Puma gab es die für mich leider unerschwinglichen Modelle King, die Pelé trug oder, noch besser, blaue Schuhe mit gelbem Seitenstreifen, »Netzer Azur« stand in goldener Schrift auf deren Seite. Die Adidas passten mir besser, aber um mich meinem größten Idol Günter Netzer so nah wie möglich fühlen zu können, hätte ich die Unbequemlichkeit der Pumaschuhe in Kauf genommen. Es gab viel Ski- und Tenniskram, der mich nicht interessierte. Die Hocker für die Schuhanprobe waren die gleichen wie bei Salamander, wo ich im Frühling Sandalen und im Herbst meine Kickers-Boots bekam. Netze voller Bälle hingen an Haken.

Bei der Torwartausrüstung musste ich nicht lang überlegen und wählte das Modell Wolfgang Kleff, gelber Sweater mit schwarzem Längsstreifen auf der Brust, schwarze Hose und schwarze Stutzen. Dazu eine ebenfalls schwarze Kappe, von der noch die Rede sein wird, und große, gepolsterte, an den Innenseiten gummierte Handschuhe.

Wolfgang Kleff, dem Torwart von Borussia Mönchengladbach und Namensgeber meiner Ausrüstung, wurde eine gewisse Ähnlichkeit mit dem Komiker Otto Waalkes nachgesagt. Deshalb trug er den Spitznamen Otto. Besonders originell war das nicht, weil zu dieser Zeit die Hälfte der männlichen Bevölkerung so aussah wie Otto Waalkes. Er war ein sehr guter Torwart, der das Pech hatte, dass es einen noch besseren gab: Sepp Maier von Bayern München. Der wiederum trat sogar bei Ilja Richter in der Sendung »Disco« als Karl-Valentin-Double auf. Diese Doppelgängersache war anscheinend gerade in Mode.

Die Torwartkleidung unterschied sich von den Trikots der Feldspieler unter anderem durch die eingearbeiteten Schaumgummipolster, die die euphorisierende Wirkung, welche die Montur auf mich hatte, noch verstärkten. Beim Blick in den Spiegel sah ich jetzt statt des spillerigen Elfjährigen einen ernst zu nehmenden, muskulösen jungen Mann. In dem Moment, in dem ich die Heldenverkleidung überstreifte, ging ich über meine bisherige Existenz hinaus und wurde zu einem anderen. Endlich begriff ich die für mich bis dahin unverständliche Formulierung, die ich auf dem Umschlag eines auf dem Nachttisch meiner Mutter liegenden Buches gelesen hatte. Mein neuer Pullover war aus dem Stoff, aus dem die Träume sind.

Vor Selbstergriffenheit wortlos saß ich auf der Heimfahrt in Hunkes Ford Capri. Das Auto war erfüllt vom Lösungsmittelgeruch der Plastiktüten, in denen sich meine gelbschwarze Lebensveränderungskleidung befand. Im Radio lief Momo-monika von Peter Orloff. Das Auto tat so, als sei es ein Sportwagen. In Wirklichkeit war es ähnlich untermotorisiert wie meine erträumte neue Existenz.

Zum Spiel am darauffolgenden Wochenende erschien ich in komplettem Ornat, der Selbstzweifel nagte bereits an mir.

Aber hatten mir Trainer und Mitspieler am Wochenende zuvor nicht auf die Schulter geklopft und gesagt, dass ich jetzt, endlich, eine echte Bereicherung unserer Mannschaft sei? Zum ersten Mal hatte ich Derartiges zu hören gekriegt. Deshalb konnte es mir nicht schnell genug gehen, den günstigen Eindruck, den ich hinterlassen hatte, zu unterstreichen und zu festigen. Wohl fühlte ich mich in meiner Schaumstoffhülle allerdings nicht mehr. Vielmehr seltsam unbeweglich, aber ein Zurück gab es nicht. Das Verlangen, den Rausch des letzten Wochenendes wieder zu erleben, ihn, weil jetzt richtig gekleidet, möglichst sogar steigern zu können, war einfach zu groß.

Die Gegner in unserer Liga hießen Salia Sechtem, Blau Weiß Oedekoven, SC Muffendorf, Germania Impekoven oder VfL Alfter. Größtenteils Vereine aus der ländlichen Umgebung meiner Heimatstadt, dem sogenannten Vorgebirge. Verteilt auf das Auto des Trainers und die einiger Väter fuhren wir zu dem an einem Waldrand gelegenen Sportplatz unseres Gegners. Wer Glück hatte, saß im Wagen des Trainers Herrn Dhünn, bester Stimmung, weil klar schien, dass wir die Bauerntölpel erledigen würden. Was wir als Ausgleich für das Debakel, das wir vor Kurzem gegen den Bonner Sport-Club erlitten hatten, gut gebrauchen konnten.

Später las ich einmal, nicht ohne Genugtuung, dass das Herrenteam des Bonner Sport-Clubs in der überaus kurzen Zeit seiner Zugehörigkeit zur Zweiten Bundesliga als eine der erfolglosesten Mannschaften in die Geschichte des deutschen Profifußballs eingegangen war. Der einzige Spieler, der es zu Bekanntheit gebracht hatte, war Horacio Troche aus Uruguay gewesen. Aber nicht wegen seiner spielerischen Fähigkeiten, sondern weil er bei der Fußball-Weltmeisterschaft 1966 Uwe Seeler geohrfeigt hatte.

Würde alles wie geplant laufen, woran es keinerlei Grund gab zu zweifeln, würden wir das heutige Spiel ohne große Anstrengung hoch gewinnen. Herr Dhünn würde auf der Rückfahrt im Autoradio die Sendung »Sport und Musik« anstellen und, wenn der Schlager »Popcorn« lief, im Takt der Musik Schlangenlinien fahren, sodass wir auf der Rückbank hin und her geworfen würden. Immerhin musste aber das Spiel noch absolviert werden, und mir wurde immer mulmiger.

Meine Mannschaftskameraden hatten die papageienhafte Aufmachung zwar etwas befremdet aufgenommen. Sie waren aber auch kindlich interessiert an der Montur eines unserer Vorbilder und beschlossen, sie als weiteres Symbol der Überlegenheit in unserem Spiel gegen die Hinterwäldler zu sehen. Jedenfalls war es ihnen lieber, der Gepolsterte spielte in der eigenen Mannschaft als in der des Gegners. So dachten sie.

Ans Spiel selbst habe ich nicht allzu viele Erinnerungen, diese hatten sich schnell ins Unterbewusstsein verabschiedet, um mich von dort aus für die nächsten Jahrzehnte zu schurigeln. Nur das eine oder andere Schreckensbild blitzt auf. In der ersten Halbzeit blickten wir in die tief stehende Sonne, was in erster Linie mich, den Torwart, beeinträchtigte. Aber ich hatte ja meine neue Mütze. Leider weitete sie sich durch mein nervöses Schwitzen und rutschte mir immer wieder über die Augen. Ich war mehr mit der Mütze beschäftigt als mit dem Spiel. Ich spürte meine Finger in den neuen Handschuhen nicht. Einer der vierschrötigen Kameraden vom Lande, als Zehnjähriger schon mit einer beachtlichen Wampe ausgestattet, lief auf mein Tor zu, keiner meiner Mitspieler – die mir vertrauten! – nahm ihn ernst und hinderte ihn am Schuss. Der Ball kam angeflogen, ich hätte ihn fangen können, wäre mir der Mützenschirm nicht auf die

Nase gerutscht und hätte mir die Sicht genommen. Es stand 1:0 für die davon selbst am meisten verblüfften Gegner.

Kurze Zeit später kullerte der Ball wieder auf mich zu, kein Problem, ihn abzuwehren, sollte man meinen. In meiner jetzt, wegen der vorherigen Blamage, schon desaströsen nervlichen Verfassung lief ich ihm entgegen, um ihn mit den Händen aufzunehmen. Die Organisation meiner Gliedmaßen geriet mir allerdings auf eine solche Weise durcheinander, dass ich, von einer Art Schüttelkrampf befallen, wild herumfuchtelte. Während der Ball zwischen meinen Füßen hindurchglitt und gemächlich, unter den fassungslosen Blicken meiner Mitspieler, seinen Weg in das von mir zu bewachende Tor fortsetzte. Und so weiter.

Wie das und alles, was noch folgte, passieren konnte, wusste ich nicht zu sagen, denn längst hatte ich die Verbindung zu meinem Körper verloren. Ich hatte keinen Einfluss mehr auf meine Bewegungen und staunte selbst über mein Gezappel, einer Marionette mit verwirrten und verknoteten Schnüren gleich. Vorwurfsvolle Blicke der ehrgeizigen Kameraden trafen mich. In denen der Langmütigen war nur Mitleid. Ich spürte eine so brennende Reue aufsteigen, dass es mir in den Ohren rauschte. Herr Dhünn rief etwas in den Beschämungstunnel, in dem ich mich befand, hinein, was ich zwar wahrnahm, aber nicht verstand. Nach dem dritten oder vierten ausschließlich durch mich verschuldeten Tor schmiss ich meine Wolfgang-Kleff-Mütze verzweifelt in den Aschenstaub. »Jaaaaaaaaa, Mensch!«, hörte ich den Coach brüllen. Was genau er damit wohl meinte? Nicht du, die Mütze ist schuld? Wäre das ein Ausweg gewesen?

Weder kann ich mich erinnern, wie hoch wir verloren, noch, wie ich nach Hause kam. Keine Schlangenlinien und kein »Popcorn« jedenfalls. Unser Torwart wurde gesund, und ich, weiteren Gesichtsverlust meidend, durfte noch eine Weile sein glücklicherweise nie wieder zum Einsatz kommender Ersatzmann sein. Alle freuten sich über Nettekovens stabile Gesundheit.

Ich weiß nicht, ob die Mütze nach dem Spiel im Aschenstaub liegen geblieben oder dort im Müll gelandet war, vielleicht hatte auch jemand das Demütigungssouvenir aufgeklaubt, und sie schmückte fortan einen der Vorgebirgler auf seinen langen Traktorfahrten.

Die nächsten Wochen verbrachte ich in einer

Art Liebeskummer wegen der vielen Hoffnungen, die ich mit meiner neuen Existenz verbunden hatte und die in der jetzigen Leere geendet waren.

Eines Tages kam dann die Wut.

Mit derselben Hingabe, mit der ich meine Rolle noch kurz zuvor verinnerlicht hatte, zerstörte ich rigoros alles, was mich an die enttäuschte Liebe erinnerte.

Die anderen

Die Kolonne setzt sich in Bewegung. Schwarze Mercedeslimousinen, vorweg ein Polizeiporsche mit Blaulicht. Ich bin aufgeregt, weil ich mich auf die Kirmes freue. Meine Mutter hat mir vor einigen Tagen von dem Ausflug erzählt, den mein Vater, sie und ich unternehmen würden. Jeden September findet der große Rummel auf der anderen Rheinseite statt, meine Schulfreunde sind schon da gewesen.

Auf der Fahrt durch die Stadt ist mir mulmig, ich ahne, dass es nicht um mein Vergnügen geht. Wir müssen nicht, wie alle anderen, weit entfernt vom Jahrmarktgelände parken und die restliche Strecke zu Fuß gehen. Die Wagenkolonne bahnt sich einen Weg durch die Fußgänger, die neugierig ins Wageninnere schauen, bis an den Eingang des Geländes. Dort bildet sich eine Menschentraube, die den illustren Besuch aus nächster Nähe sehen will.

Meine Mutter lächelt. Wir steigen aus. Leute klatschen, mein Vater winkt, vereinzelt hört man ein »Buh!«. Sicherheitsbeamte bilden einen Schutzring. Wir setzen uns in Bewegung und kommen am Zuckerwattestand vorbei.

Jemand drückt mir eine größere Portion in die Hand, als ich eigentlich möchte. Die Zuckerwatte verklebt mir im Weitergehen unter der aufmerksamen Beobachtung des Publikums und im Blitzlichtgewitter der anwesenden Fotografen das Gesicht. Dann zum Autoscooter.

Meine Mutter setzt sich in einen, ich in einen anderen Wagen, mein Vater steht draußen, schaut nicht zu. Die Fotografen raufen sich am Rand um die besten Plätze. Ich habe keinen Spaß, versuche, mit dem Autoscooter den meiner Mutter so oft und heftig wie möglich zu rammen. Sie schaut mich an und schüttelt kaum merklich den Kopf. Mein Vater gibt Autogramme. Dann weiter in ein Festzelt. Blasmusik, wieder Applaus und Buhrufe. Wir setzen uns an einen der Biertische, der hastig freigeräumt wird, die Verjagten schauen verstört. Große Bierkrüge werden gebracht, für mich eine Fanta, mein Vater geht zur Bühne. Der Dirigent der Kapelle gibt ihm seinen Taktstock, die Kapelle beginnt den Marsch schon zu spielen, bevor der Vater die Hand gehoben hat. Er fuchtelt dazu in der Luft herum, ohne dass ein Zusammenhang mit der Musik erkennbar wäre. Danach Applaus, Buh, wieder raus aus dem Zelt.

Wir gehen zu einer Losbude. Davor stehen Verkäufer, die Lose in kleinen Plastikeimern anbieten. Ich frage meine Mutter, ob ich Geld für ein paar bekommen könne. Die Entourage wird unruhig, ich sehe jemanden mit den Fotografen reden. Dann wird einem der Verkäufer ein großer Geldschein zugesteckt und der Loseimer aus der Hand genommen. Man hält ihn mir hin. Ich soll jedes der kleinen Lose aufpulen, so lange, bis ich endlich den Hauptgewinn gezogen habe. Wie auch immer der aussehen mag. Das Suchen dauert lange, meine Finger werden taub. Meine Mutter, später noch andere helfen mir. Hoffentlich ist es bald vorbei, denke ich. Mein Vater raucht. Endlich, fast schon am Boden des Eimers angekommen, findet sich das Los mit dem Hauptgewinn, eine Erlösung. Ein großer rosa Teddybär – für einen zehnjährigen Jungen. Er wird herangebracht und mir in den Arm gedrückt. Ich werde zwischen meinen Eltern in Positur gestellt, mit dem Riesenteddy, der stinkt. Blitzlicht. Keine Achterbahn, keine Raupe. Schnell zum Riesenrad. Mutter, Vater, Kind in die eine, Fotografen in eine andere, vorausfahrende Gondel. Winken. Dann wieder zu den Autos, Türen knallen, Motoren jaulen auf, Blaulicht blinkt, und es geht durch die Stadt zurück nach Hause. Wir überholen alle anderen. Auf der Heimfahrt Schweigen.

Attaché

Als ich den Postboten Herrn Vianden kurz nach unserem Einzug zum ersten Mal in seiner Uniform die Einfahrt hatte entlangkommen sehen, war ich erstarrt. Er sah exakt so aus wie der Briefträger aus einem meiner Kinderbücher, sodass ich mich fragte, ob es möglich war, dass er, dem Buch entsprungen, nun hier vor unserer Tür stand. Genau das gleiche gut gelaunte Kasperlegesicht! Gruß- und wortlos bestaunte ich seine mit Brisk akkurat gescheitelte Frisur, deren Glanz in der Buchillustration durch einen blauen Streifen dargestellt war. Ich müsste es fertigbringen, ihm einmal von oben auf den Kopf zu schauen, um zu überprüfen, ob sich in dem schwarzen Schopf wahrhaftig eine blaue Strähne fand. Vielleicht könnte ich auf eine der

Kastanien klettern, die entlang seiner Route standen.

Schwer genug herauszufinden, was in meinem Kopf wohin gehörte, der immer so voll war, dass es kaum möglich schien, einen klaren Gedanken zu fassen. Beispielsweise zu kapieren, dass es sich bei dem angestrengt lächelnden Herrn auf den Plakaten längs des Schulwegs um meinen Vater handelte, denselben Mann, der sich noch zehn Minuten zuvor, weil er sich beim Rasieren geschnitten hatte, auf der Suche nach einem Pflaster in der Badezimmertür an mir vorbeigeknurrt hatte.

Durch Herrn Vianden machte ich erstmals mit dem abenteuerlichen Modulationsspektrum der rheinischen Mundart Bekanntschaft. Ein einfaches »Guten Morgen«, in Berlin, wo wir bisher gelebt hatten, eher gebellt als gesagt, hörte sich beim Briefträger an, als trällerte die Königin der Nacht. Könnte man es musikalisch notieren, läse es sich wohl in etwa so:

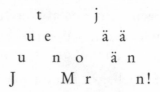

Sein Gejodel, während er aus der ledernen Umhängetasche die Post heraussuchte, schien mir ein Anzeichen dafür zu sein, dass es sich bei Vianden um eine Erscheinung handelte, echte Menschen sprachen so nicht. Hierin wurde ich, nachdem ich längere Zeit in der kleinen Stadt gelebt hatte, eines Besseren belehrt. Im Stillen versuchte ich, Herrn Viandens Sprechweise zu imitieren, aber die Melodieführung war nicht so leicht in den Griff zu kriegen. Später, im Fußballclub, bekam ich es durch das Fluchen beigebracht. Ein Mitspieler hatte mir im Vorbeilaufen »Ischschlachdirdekoppindehalserinn« zugeraunt. Ohne den Sinn dieser Lautfolge zu ahnen, plapperte ich sie nach und fand mich in einer Balgerei wieder. Damit das nicht wieder passierte, lernte ich das Idiom und wusste jetzt, dass der Kollege angekündigt hatte, mir den Kopf in den Hals zu schlagen. Andererseits, vielleicht brächte das ein wenig Ordnung in das Gewirr dort oben.

In letzter Zeit hatten sich bei mir zwei Berufswünsche herausgebildet: Astronaut und, falls das nicht klappte, Briefträger. Die Anregung hierfür hatte mir wiederum Herr Spahrbier gegeben, den ich in der Sendung »Vergissmeinnicht« mit Peter Frankenfeld, später dann auch in »Drei mal

Neun« mit Wim Thoelke gesehen hatte. Walter Spahrbier, im richtigen Leben Briefträger in Hamburg, verkündete in der Fernsehshow die Gewinner und betätigte das sogenannte Glücksrad. Er war der stoische Mittelpunkt der Veranstaltung, da konnten die Damen des Fernsehballetts um ihn herum sich noch so sehr entäußern. Spahrbier war schon herkunftsbedingt von bedächtigerer Natur als Herr Vianden, aber von der Aufgabe auf seine Art nicht weniger erfüllt. Hin und wieder trug er bei diesen Auftritten historische Briefträgeruniformen samt passender Maskerade, und kein noch so bescheuertes Barett, weder Pumpnoch Strumpfhose, kein Zwirbelbart konnten ihn in seiner, durch die allem Anschein nach tief befriedigende Tätigkeit gefestigten, norddeutschen Bräsigkeit erschüttern. Ich dachte deshalb, im Beruf des Postboten, womöglich eines Tages sogar des *Glücks*postboten, könnte meine Zukunft liegen. Es kam dann anders, aber Herr Spahrbier hatte mir zumindest eine Lehre erteilt, die in späteren Jahren hilfreich sein sollte: Auch das dämlichste Kostüm kann, ja will mit Würde getragen werden.

In den Verlautbarungen des Micky-Maus-Clubs, dessen Mitglied ich war, hatte ich einen Aufsatz über das Briefmarkensammeln gelesen und in Erfahrung gebracht, dass sich dem Sammler allein durch das Betrachten der Briefmarken vor dem inneren Auge Abenteuer auftäten, als würde er die fremden Länder tatsächlich bereisen. Was ich als glückliche Fügung empfand, weil dies einen natürlichen Anknüpfungspunkt und Anlass zu Fachsimpelei mit Herrn Vianden abgäbe, um so hinter dessen Geheimnis zu kommen.

Am nächsten Morgen ging ich, bevor ich mich auf den Schulweg machte, ins Esszimmer, um mich von meinem Vater zu verabschieden, der aber schon aufgebrochen war und den Papagei im Qualm vor sich hin monologisierend zurückgelassen hatte. Neben dem Frühstücksteller, auf dem ein Klumpen herausgepulter Brötchenteig lag, den ich mir schnappte, stand ein Aschenbecher mit vier, fünf Kippen halb gerauchter Zigaretten, Lord Extra oder Attika, sowie der eine oder andere strenger riechende Stummel eines Zigarillos. »Attaché« stand in hellem Schwung auf dem grünen Grund der scharfkantigen Blechschachtel. Manchmal gab mein Vater mir die leeren Dosen, damit ich darin etwas mir Wichtiges aufbewahren könne. Ich hatte keine Ahnung, was das sein sollte, und freute mich zwar darüber, dass er an mich dachte, hatte aber im nächsten Moment das Gefühl, ihm dafür etwas schuldig zu sein, was mich dann schon wieder ratlos machte und denken ließ, es wäre leichter gewesen, er hätte mir nichts geschenkt.

Aus dem Esszimmer kommend betrat ich den langen Flur und sah ihn hinten aus seinem Zimmer kommen und die Treppe hinuntergehen, ohne dass er mich bemerkte. Als ich unten ankam, war keiner mehr da, es roch nach Abgasen und Rasierwasser. Manchmal, wenn ich früher dran war, lungerte ich noch ein bisschen bei den wartenden Chauffeuren, Polizisten und weiteren Herren, deren Funktion mir schleierhaft war, herum. Im Sommer hatte ich mich einmal hinter den Auspuff der mit laufendem Motor wartenden Limousine gestellt und, während ich den heißen Luftzug an den nackten Knien spürte, zugesehen, wie diese sich langsam schwarz färbten. Dann war Unruhe entstanden, der Vater erschien, bemerkte mich, tätschelte mir kurz die Wange, redete dabei aber schon mit dem ihm eine Aktenmappe reichenden Mitarbeiter und stieg in den Wagen. Die Kolonne setzte sich sofort dröhnend in Bewegung, und schon stand ich in einer bläulichen Dunstwolke und schaute ihnen nach, wie sie um die Ecke bogen.

Auf dem Schulweg dachte ich jetzt darüber nach, wie ich es anstellen sollte mit dem Briefmarkensammeln. Es war mir bisher nicht gelungen, ein Hobby zu finden, weil ich nicht einsehen wollte, dass es eine Phase des Dilettantismus zu überstehen galt, bevor es interessant wurde. Die Dinge waren einfach zuerst einmal immer langweiliger und blöder, als ich sie mir vorgestellt hatte. Dabei sehnte ich mich nach Gemeinschaft, deren Anlass war mir letztlich egal. Als Philatelist könnte ich nun zwei Fliegen mit einer Klappe schlagen. Erstens hätte ich die Möglichkeit, meine Briefträgerausbildung bei Herrn Vianden in die Wege zu leiten und zweitens konnte ich meinem Vater beweisen, wie viel ich mit seinem Geschenk anzufangen wusste. Neugierig auf die imaginären Reisen und die neuen Freundschaften, die mich erwarteten, bestellte ich mithilfe meiner Mutter bei einem Fachversand ein in weinrotes Kunstleder eingebundenes Album.

Ärgerlich war, dass ich noch in der Schule war, als Herr Vianden das Päckchen brachte.

Denn dies wäre ja, so hatte ich es mir ausgemalt, der Moment gewesen, der unsere engere

Beziehung hätte begründen sollen. So musste ich mit der sich mir neu eröffnenden Welt der Briefmarkenkunde alleine zurechtkommen.

In der Sendung befanden sich neben dem Album eine Lupe, Pinzette und das in Pappe und Zellophan verpackte sogenannte Anfängerpaket. Angeblich enthielt es hundert Briefmarken »aus aller Herren Länder«, wie zu lesen war. Tatsächlich waren es neunundachtzig Marken der Deutschen Bundespost, eine österreichische und eine belgische. Auf dem österreichischen Wertzeichen war unter der Überschrift »Kunstschätze« ein Schnabelschuh abgebildet, der sich beim Nachlesen im Briefmarkenlexikon freilich als antiker Rennschlitten entpuppte. Die belgische Marke zeigte einen sympathischen jungen Mann mit Hornbrille in Uniform neben der Wertangabe »3,50 F«, König Baudouin. Lustiger Name, lustiges Land, dachte ich. In den Zigarillokistchen wollte ich die Schätze lagern und sortieren und aus ihnen die auswählen, die es wert waren, den Weg ins Album zu finden. Wegen der Einseitigkeit des Sortiments hatte die Umsetzung meiner Idee allerdings zur Folge, dass von den vier Attaché-Schachteln zwei mit deutschen 25-Pfennig-Freimarken überfüllt und nicht mehr zu schließen waren. Die meisten der darin befindlichen Stücke zeigten die Porträts der Bundespräsidenten Heinrich Lübke oder Gustav Heinemann, Graumänner, Leute, von denen zu Hause ohnehin die Rede war, die nebenan wohnten und die ich – schlimmer noch – kannte! Die meisten Briefmarken hatten das Thema Unfallverhütung zum Gegenstand. So viel zum Thema imaginäre Reisen. Weiter gab es zwei Dosen, in deren Deckel ich mit meinem Schweizermesser bereits »Europa« und »Übersee« eingeritzt hatte, so wie in die anderen beiden »Deutschland«. Für den Fall, dass meine Sammlung wachsen würde, wovon ich ausging, hatte ich mir für weitere Behälter schon die Rubriken »Europa – EWG« und »Europa – Sonst.« ausgedacht, vielleicht käme eines Tages sogar »DDR, Ostbl.« dazu.

In »Europa« lagen allerdings bisher nur zwei, in »Übersee« keine einzige Briefmarke. Um das zu ändern, hätte ich meine Ansichtskarte aus Amerika mit der Absenderadresse »Waldorf Astoria Hotel, Park Ave & 50th St., New York City« (»Grüße, Vati«) ruinieren müssen, was ich nicht über's Herz brachte. Oder ich hätte das Platzproblem durch eine Umwidmung der leeren »Übersee«-Schachtel lösen können. Allerdings hatte ich deren Kennzeichnung ja blöderweise bereits eingraviert. Überklebte ich die Gravur mit Tesaband, wäre wiederum der »Attaché«-Schriftzug verschandelt, eine Kapitulation schon zu Beginn meiner Sammlerlaufbahn. Ein Sack voller Probleme also, bevor es überhaupt losgegangen war. Ganz entkräftet saß ich an meinem Tisch und wollte die Sache schon aufgeben. Auch spürte ich bereits ein Ziehen im Magen, den leisen Groll, der, sollte es so weitergehen, unweigerlich in einen meiner hemmungslosen Tobsuchtsanfälle münden würde und sehr sicher die Vernichtung der gesamten Ausstattung zur Folge hätte. Ich behandelte das Problem so, wie es bei uns zu Hause üblich war, und vertagte es.

Eine der bundesdeutschen Marken hatte die Olympischen Winterspiele 1972 in Sapporo zum Thema. Zu sehen war die durch ein grobes Raster verfremdete Abbildung einer Eiskunstläuferin. Diese hatte die gleiche Frisur wie die spätere Bronzemedaillengewinnerin von Sapporo, Janet Lynn, die ich wiederum deswegen toll fand, weil sie einem von mir angeschwärmten Mädchen aus der Siedlung namens Cordula ähnlich sah, die seit letztem Sommer unten in der Stadt auf das Mädchengymnasium ging und an deren Haus ich, einen Umweg in Kauf nehmend, täglich vorbeifuhr, ohne sie zu Gesicht zu bekommen. Janet Lynn hatte dagegen den großen Vorzug, im Fernsehen zu sein. Wenn ich eine ansehnliche Briefmarkensammlung zustande brachte, hätte ich vielleicht endlich einen Grund, Cordula anzusprechen und ihr das Album mit der Marke der Eiskunstläuferin zu zeigen, die Janet Lynn ähnlich sah. Die wiederum, toller Zufall, Cordula ähnlich sah.

Unter dem Bild der Eiskunstläuferin las ich: »20+10« und »Wohlfahrtsmarke«, was mir Rätsel aufgab. Warum so umständlich, überlegte ich, warum war nicht von vornherein draufgeschrieben worden, dass es sich um eine Dreißig-Pfennig-Marke handelte?

Das filigrane, feinmotorische Arbeiten war meine Sache nicht, und die pergamentenen Einsteckstreifen, die die Marken an ihrem Platz hielten, rissen beim Sortieren ständig ein. Da ich über Platzmangel im Album nicht klagen konnte, klebte ich kurzerhand die ramponierten Seiten mit Uhu zusammen und vertuschte so mein Missgeschick, wie ich dachte.

Man hatte nun beim Aufschlagen eine Art Brett umzublättern, seitlich quollen Klebstoffreste heraus, bis man auf die erste und einzig unversehrte Seite gelangte, mit lila Filzstift betitelt »Olymp. Spiele 1972 (Winter), Sapporo, Japan«. Die Eiskunstlauf-Sondermarke »20+10« aus dem Jahr 1971 war ein Solitär, die einzige, die je den Weg in mein einseitiges Sammelalbum fand. Ihre Schwestern der Serie »Unfallverhütung« dagegen verstreuten sich bald in einer Schublade, als ich die Attaché-Dosen benutzte, um Regenwürmer aufzubewahren, die ich dann für längere Zeit darin vergaß.

Meine Briefmarkenleidenschaft erkaltete noch schneller als vorangegangene, weil ich, statt die versprochenen imaginären Reisen in ferne Länder zu unternehmen, Behördenpapiermüll sortiert hatte. Die Zigarillo-Schachteln verschwanden, und ich umging es, neue geschenkt zu bekommen. Irgendwann war auch das Album weg.

Kein einziges Gespräch hatte ich mit Herrn Vianden zu meiner geplanten Karriere geführt, was auch unnötig geworden war, ich hatte mich jetzt doch gegen das Briefbotenmetier und stattdessen für die Raumfahrt entschieden.

Eines Tages erschien ein anderer Postler, Herr Vianden blieb verschwunden, und ich fragte mich, ob er endgültig wieder in seinem Buch lebte.

Vielleicht hatte er aber auch Janet Lynn, die Bronzemedaillengewinnerin von Sapporo, kennengelernt und war zu ihr in den Fernseher gezogen.

Kein Laut

Die Nachricht sprach sich in der großen Pause sofort herum.

Ansgar hatte endgültig verschissen.

Sein Vater war ohne anzuklopfen in den Unterricht marschiert und hatte ihn am linken Ohr aus der Klasse herausgezerrt, über den Schulhof und dann durch die Straßen bis zu ihnen nach Hause, wo die Vertriebenen wohnten, wie ich mal gehört hatte. Den ganzen Weg über, erzählten sie mir, hatte er die Augen niedergeschlagen und keinen Laut von sich gegeben, seine Scham wegen der Bloßstellung schien noch größer zu sein als die Angst vor der bevorstehenden Züchtigung.

Er sah anders aus als wir, Haarschnitt und Kleidung so, als sei er einem Jugendfoto unserer Eltern entsprungen. Weitaus interessanter und anziehender als sein Äußeres war an ihm aber, dass man ihn verprügeln konnte, ohne Gefahr zu laufen, dass er sich wehrte. Was er niemals tat, obwohl er älter und eine Klasse über uns war. Normalerweise ging man als Drittklässler denen aus der Vierten eher aus dem Weg und achtete darauf, nicht anzuecken, man fing sich schnell eine. Deutete man jedoch Ansgar gegenüber einen Schlag auch nur an, kauerte er sich blitzschnell zu Boden, schlang die Arme um den Kopf und bettelte stotternd: »B-b-bitte nicht!« Es war ein Reflex, er konnte nicht anders. Man konnte das beliebig oft wiederholen. Selbst, wenn ich gewollt hätte: Ansi zu schonen hätte bedeutet, meine Stellung in der Gruppe aufs Spiel zu setzen. Es war die Aura des Weichlings, die ihn umgab, am Ende steckte man sich damit noch an.

Den größten Außenseiter mit zu quälen, war die einfachste Art, zu sein wie die anderen, und das war mein brennendster Wunsch.

Natürlich tat Ansgar mir leid. Stärker war aber meine Erleichterung, dass es ihn traf und nicht mich. Ungeachtet der Torturen, die er zu erdulden hatte, trotz seiner offensichtlichen Verzweiflung schien er den ihm zugewiesenen Platz nicht infrage zu stellen. Immer wenn der Lehrer, der die Pausenaufsicht hatte, nicht herschaute, gingen wir zu Ansgar und demütigten ihn. Er war fast einen Kopf größer als die meisten von uns, spindeldürr, hatte eine riesige Nase, auf dem Kopf trug er einen Lockenwust, der an den Seiten mit der Maschine gekürzt worden war, sodass er ein wenig den frisierten Pudeln aus der Nachbarschaft ähnelte.

Seine Bewegungen waren vogelartig, der Kopf schnellte hin und her, immer des nächsten Angriffs gewahr. Er trug Lederhosen, im Sommer kurz, im Winter knielang. Außerdem karierte Hemden mit abgestoßenem Kragen, die so aussahen, als ob es die abgelegten seiner großen Brüder waren. Es gab nichts Modisches an seiner Kleidung. Was er trug, sollte weder schützen noch schmücken, sondern es schien, als sei die wesentliche Bestimmung dieser Sachen, unbequem zu sein. So stand er inmitten des Geklingels unserer Jinglers-Jeans-Glöckchen, Anfang der Siebzigerjahre.

Im Winter trug Ansgar keinen Parka oder Anorak wie wir, sondern einen Lodenumhang, den er in der Schule einmal unvorsichtigerweise, einen bei ihm zu Hause offenbar gebräuchlichen Ausdruck verwendend, »Kotze« genannt hatte. Was daraufhin los war, kann man sich vorstellen:

»Na Ansi, heute wieder angekotzt?«

»Hast du eigentlich auch 'ne Trainingskotze, Ansi?«

Oder auch gesungen, wenn wir alle miteinander zu Sankt Martin mit unseren Fackeln von Haus zu Haus zogen:

»... Sankt Ansgar mit dem Schwerte teilt, die warme Ko-ho-tze unverweilt.«

Eines Tages, als ich nach Schulschluss gerade auf mein Fahrrad steigen wollte, hörte ich hinter mir leise seine Stimme:

»N-n-na, V-v-v-verräter?«

»Hä?«

»B-b-brandt an d-die W-w-w-wand. V-v-vaterlandsverräter«, sagte er.

Ich hatte keine Ahnung, was er meinte.

Eine Weile glotzte ich ihn an, dann schoss mir die Hitze ins Gesicht, nicht vor Wut, sondern weil ich mich genierte, ohne zu wissen wofür.

»Ihr s-s-seid D-d-deutschlands Unt-t-tergang.«

»Hä?«

Weil ich danach stumm blieb und er keine

Anstalten machte, sich zu erklären, gingen wir schweigend nebeneinander weiter.

Kurz war ich versucht, ihm in meiner Ratlosigkeit eine zu knallen, einfach, damit etwas passierte, aber ohne den Schutz und die Beachtung der Clique wusste ich auf einmal nicht mehr, welchen Sinn das machen sollte. Noch nie hatten wir außerhalb der Schule ein Wort miteinander gewechselt.

Wir kamen an der katholischen Kirche vorbei, wo sich unsere Wege eigentlich getrennt hätten, als Ansgar mich fragte:

»D-darf ich m---al mit deinem F-f-fahrrad f-----ahren?«

»Äh, klar.«

Ein kurzer Blick über die Schulter, ob uns jemand sah.

Zur Schule kam er immer zu Fuß. Er hatte wohl auch noch nie auf einem Bonanzarad gesessen. Bevor er aufstieg, berührte er es ehrfürchtig, den Schwung des Lenkers nachempfindend, bevor er ihn anfasste.

Ich freundete mich mit ihm an, unter der Bedingung, dass wir zu zweit blieben. Uns war klar, dass es keine Alternative zu diesem Arrangement gab, wenn nicht auch ich unter die Räder kommen wollte. In der Schule wurde Ansgar von mir weiterhin terrorisiert – einige Stunden später hingen wir dann allerdings wieder zusammen kopfunter am Klettergerüst. Später sah ich ihm zu, wie er die Schokolade, die er mich zu unseren Verabredungen immer anbettelte mitzubringen, verschlang, die Tafel gierig mit beiden Händen haltend, wie andere ihr Butterbrot essen. Sein Genuss machte mir solchen Spaß, dass es mir ganz egal war, nichts abzubekommen. Einmal sah ich auf Ansgars Wange den leuchtend roten Abdruck einer Hand, Finger für Finger deutlich zu erkennen, sein Mund von der Schokolade schon ganz verschmiert.

Er stotterte in einem fort. Vielleicht hatte er sich das viele Reden angewöhnt, weil es die Schläge aufhielt.

Ansgar war mit zehn schon Raucher, und meine erste Stuyvesant paffte ich mit ihm in einem der Bombenkrater im Wald hinter der Klinik. Als wir dort schweigend qualmten, wollte ich ihn fragen, warum sein Leben so war, wie es war. Es schien, als erahne er das, und er sprach schnell von etwas anderem, den Böllern, den Judenfürzen, wie er sagte, die er von Silvester übrig hatte. Er ließ sie im großen Ameisenhaufen ex-

plodieren, rief dabei: »Stuka-Angriff!«, dann beobachtete er die panischen Insekten und kugelte
sich vor Vergnügen.

Seltsam gebückt kam er eines Tages zu unserer
Verabredung. Diesmal setzte er sich nicht neben
mich, sondern blieb stehen.

Ich fragte ihn, was los sei, und er sah mich an,
zog kurz sein Hemd hoch und ließ mich die Striemen auf seinem Rücken sehen, die ein Rauten-
muster bildeten. Dort wo sie sich kreuzten, war
die Haut aufgeplatzt, dick verkrustetes Blut. Er
schien darauf zu warten, dass ich etwas sagte, ich
hatte aber keine Worte.

Wir schwiegen eine Weile. Schließlich sagte er:
»Overath ist besser als Netzer.«

Ein wenig neidisch war ich auf seine Striemen.
Wegen der Schläge, die er kassierte, schien mir
Ansgar fast schon ein Mann zu sein, während ich,
der Nichtgeschlagene, noch Kind war. Sein Leid
imponierte mir und die Härte, die in seinem Blick
war.

Er rauchte auf eine andere Art, als ich es von
meinen Eltern kannte: Die Zigarette hielt er
mit Daumen und Mittelfinger, die Glut schützend in Richtung der Handinnenfläche gerichtet, als würde sie diese gleich versengen. Dann

führte er die Kippe in einer hastigen Bewegung zum Mund und zog daran mit zu Boden gerichtetem Blick, er kräuselte die Stirn, beim Inhalieren verzog er den Mund und ließ die geschlossenen Zahnreihen mit dem blauen oberen Eckzahn sehen, sodass man, wäre da nicht die Verzweiflung gewesen, hätte meinen können, er grinste. Rauchen war Arbeit, Schmerz, weniger Genuss.

Er erzählte, wie er mit ein paar anderen aus der Siedlung zum Weiher gefahren war, dort einen Frosch gefangen und ihn mit Reißzwecken auf einem Brett festgenagelt hatte, wie sie dieses hatten schwimmen lassen, bis es umkippte und der Frosch ertrank. Einen anderen Frosch hatten sie mit Zigarettenqualm aufgepustet, bis er platzte. Kaputtgelacht hätten sie sich, »bis zur Vergasung«.

In der großen Pause hielt ich nach ihm Ausschau, wir blickten uns an und wussten, was jetzt kommen musste. Am Tag zuvor waren wir zusammen gesehen worden, es gab Getuschel, und für mich ging es jetzt um's Überleben. Ohne dass wir ein Wort wechselten, baute ich mich vor ihm auf. Hob langsam die Hand. Und während er sich hinkauerte und, seine Arme schützend über dem Kopf, zu winseln begann, trafen sich unsere Blicke. In ihnen lag schon die Verabredung für den Nachmittag.

Welthölzer

Meine Mutter hatte mir gesagt, dass der Vater einen Fahrradausflug mit mir machen wolle. Das war insofern überraschend, als dass ich ihn bis dahin weder Fahrradfahren gesehen, noch überhaupt die Möglichkeit in Betracht gezogen hatte, er sei dessen fähig. Ich war der Ansicht gewesen, die einzige von meinem Vater eigenständig beherrschte Fortbewegungsart sei es, zu Fuß zu gehen und, mit Einschränkungen, zu schwimmen.

Es war mein, wenn auch kleiner, so doch dauerhafter Schmerz, dass die Väter all meiner Freunde selbstverständlich den Führerschein besaßen und Auto fahren konnten, nur meiner nicht. Waren wir im Urlaub ohne Dienstwagen und Chauffeur unterwegs, fuhr meine Mutter den Opel Rekord, und mein Vater saß schweigend auf dem Beifahrersitz. Außerdem hatte er gar kein Fahrrad, weshalb für ihn extra zu diesem Anlass ein solches beschafft werden musste.

Staunend stand ich in der Garage vor dem glänzenden neuen Herrenrad und fragte mich, wofür dieser Aufwand betrieben wurde. Nur um mit mir eine Runde durch den an unser Grundstück angrenzenden Wald zu drehen? Geschmeichelt von der Aufwertung, aber auch verunsichert, weil ich nicht wusste, welche Ursache diese hatte, wartete ich auf den folgenden Sonntag, an dem der Ausflug stattfinden sollte.

Wurde dieser Rahmen vielleicht nur gewählt, um mir mitzuteilen, dass es jetzt so weit sei und man mich, wie meinen Freund Christian ein halbes Jahr zuvor, ins Internat schicken würde? Wie sich zeigte, erwies sich diese Angst als unbegründet. Denn der eigentliche Anlass für den Ausflug war die Teilnahme eines Dritten, eines Arbeitskollegen meines Vaters, Herrn Wehner. Mit diesem war er offenbar zerstritten, was ein Hemmnis der gemeinsamen Arbeit darstellte.

Deswegen waren Mitarbeiter der beiden auf die Idee einer gemeinsamen Fahrradtour gekommen, um das Verhältnis zu entspannen.

Mir war in dem Plan die Rolle des, falls es so etwas gibt, Anstandskindes zugedacht worden. Man versprach sich von meiner Teilnahme wohl eine aufheiternde und gleichzeitig disziplinierende Wirkung, die beiden würden im Beisein des Jungen nicht gleich aufeinander losgehen. Ich selbst sah mich allerdings eher als der für das Gelingen verantwortliche Zeremonienmeister.

Herr Wehner, der mir immer, wenn ich ihn sah, leidtat, weil er seltsam schiefgesichtig war, erschien pünktlich am verabredeten Sonntagvormittag mit seinem offenbar regelmäßig in Gebrauch befindlichen Fahrrad.

Ich drehte mit meinem Bonanzarad bereits ein paar Runden auf dem Garagenhof und machte mir Gedanken über die zu fahrende Strecke im Kottenforst. Im Gegensatz zu den beiden Herren war ich ortskundig und damit gewissermaßen dafür verantwortlich, dass der Vater und sein Gast sich nicht im Gewirr der Waldwege verirrten und womöglich Staatsgeschäfte darunter zu leiden hätten.

Sollten wir eher den beliebten Weg in Richtung des Ausflugslokals Zur Waldau wählen? Oder wäre es besser, die beiden in einen weniger frequentierten Teil des Waldes zu leiten, damit die beabsichtigte Versöhnung nicht von neugierigen Ausflüglern gestört würde?

Dann fragte ich mich, wie es um die Fahrfähigkeiten meines Vaters bestellt war. Ob es nicht sicherer wäre, auf den zwar stärker frequentierten, aber auch breiteren und ebenen Hauptwegen zu bleiben, statt auf stillen Nebenstrecken ihn überfordernde Manöver zu riskieren, wie etwa einem herumliegenden Ast ausweichen zu müssen. So meine Gedanken.

Mit einigen Minuten Verspätung kam schließlich mein Attika rauchender Vater um die Ecke des Hauses.

Er trug, was nur selten der Fall war, eine sogenannte Windjacke, die seinem Auftritt eine sportliche Note gab, und machte einen für diese Tageszeit ungewohnt gut gelaunten und unternehmungslustigen Eindruck. Herr Wehner und er begrüßten sich auf eine Weise laut und launig, wie es nur Leute tun, die sich eigentlich nicht leiden können, aber durch persönlichen oder dienstlichen Zwang aneinandergekettet sind.

Schließlich ging mein Vater zu dem für ihn bereitgestellten Fahrrad. Es war ein klassisches Achtundzwanziger-Herrenrad mit einer Sachs-Dreigangschaltung, auf das ich, ehrlich gesagt, seit dessen Eintreffen im Geheimen bereits spekulierte. Denn ich konnte mir nicht vorstellen, dass mein Vater zukünftig Verwendung dafür haben würde.

Ich müsste nur noch fünfzehn Zentimeter wachsen, dann könnte ich mit dem Achtundzwanziger fahren. Ich fantasierte bereits von Um- und Aufbauten: Bonanzalenker, Bananensattel, einem auf die Querstange montierten Schaltknüppel statt der unauffälligen Daumenschaltung, Rallye-Schmutzfängern, bunten Speichenverzierungen, Rückspiegeln links und rechts und einem an den Sattel gebundenen Fuchsschwanz. Dann musste ich lachen, weil ich mir meinen Vater auf diesem von mir erträumten Fahrrad vorstellte.

Jetzt ging es bei den beiden Herren ans Aufsteigen und Losfahren, Herr Wehner war sogleich abfahrbereit. Ich hatte die Position der Eskorte eingenommen, um ihnen den Weg durch den Park und den daran anschließenden Gemüsegarten zum Zauntor zu weisen, durch das wir direkt auf den hinter unserem Grundstück verlaufenden Waldweg kommen würden.

Mein Vater griff sich das Fahrrad beherzt,

fremdelte aber erkennbar. Er schob es, einen Halbkreis beschreibend, in Startposition.

Dann stand er davor, die Hände an den Lenker geklammert, und schien über den zum Besteigen erforderlichen Bewegungsablauf nachzudenken. Offenbar wog er verschiedene Varianten dessen ab, was sich in kurzem, wechselseitigem Anspannen der Gliedmaßen und angedeuteten Drehungen des Rumpfes ausdrückte. Schließlich entschied er sich, zu meiner Erleichterung, den linken Fuß auf ebendiesem Pedal zu platzieren und das Gefährt durch wiederholtes Abstoßen des anderen Fußes vom Boden in Bewegung zu versetzen. Der Garagenhof bot ausreichend Platz, um dieses Manöver in der nötigen Ausführlichkeit durchzuführen, ohne dass die Gefahr einer Kollision oder eines Sturzes wegen zu geringer Anfahrtsgeschwindigkeit bestand.

Nun brachte mein Vater das Rad wie einen Tretroller auf Tempo. Allerdings stand die größte Hürde, das Erklimmen des Sattels, noch bevor.

Ich hörte ihn durch eine Mischung aus Anstrengung und Konzentration hervorgebrachte Geräusche machen, ein Schnaufen, aber der stimmlosen Art, wie es klingt, wenn man die Luft hinter den geschlossenen Lippen staut und dann stoßartig entweichen lässt.

All dies wurde von Herrn Wehner und mir und, nicht zu vergessen, den beiden ebenfalls mit Fahrrädern ausgestatteten und in Entfernung bereitstehenden Bewachern, Herrn Danner und Herrn Rybarczyk, aufmerksam beobachtet.

Es war klar, dass sich in diesen Momenten das Schicksal der geplanten Unternehmung entschied. Gelänge das Manöver nicht, wäre der Ausflug beendet, bevor er begonnen hatte. Schließlich war es so weit, mein Vater näherte sich dem Übergang zwischen Garagenhof und Parkweg. Sollte sein Versuch gelingen, müsste er vor der Rechtskurve im Sattel sitzen.

Ein erster Versuch, das rechte Bein über den Gepäckträger zu schwingen, scheiterte. Aber wegen der jetzt gebotenen Eile folgte sogleich ein nächster, und unter Aufbietung aller hierfür zur Verfügung stehenden Kapazitäten gelang das Vorhaben. Auch dies akustisch begleitet von einem Laut, der wie »Hopp!«, vielleicht auch wie eine komprimierte Version dessen klang: »Hpp!«

Jedenfalls saß er im Sattel, wenn er auch bedenklich an Geschwindigkeit verloren hatte, was sich ungünstig auf das Halten der Balance auswirkte. Ein Umstand, dem er durch heftiges Hin- und Herdrehen des Lenkers entgegenzuwirken suchte.

In meiner Verblüffung ob dieses Schauspiels war ich stehen geblieben und musste nun kräftig in die Pedale treten, um ihm nicht den Weg zu versperren. Sonst hätte ein von mir verursachter Zusammenstoß eine Wiederholung des Ablaufs erzwungen, falls es dazu dann überhaupt noch gekommen wäre.

Wir sollten, das zeigte sich, ein Anhalten in der nächsten Zeit unbedingt vermeiden.

Vielmehr wäre es wichtig, dem sich langsam wieder ans Radfahren Erinnernden Zeit und Raum zu geben, dies von uns unbedrängt tun zu können. Er musste schnell neue Sicherheit gewinnen.

Mein Plan war es, mithilfe der anderen einen den Vater umgebenden Kokon aus Fahrrädern zu bilden, ohne dass die schützende Absicht für diesen bemerkbar wäre. Mit einer kleinen Verzögerung setzten sich jetzt auch Herr Wehner und, in tätigkeitsbedingtem Abstand, die Personenschützer in Bewegung.

Ich fuhr immer noch voran, spürte aber, dass es meinen Vater eher einschränkte, als dass es ihm half. Was er brauchte, war die freie Fahrt, weswegen ich mich auf der rechten Seite des Weges zuerst neben und dann hinter ihn fallen ließ. Das allerdings nahm Herr Wehner zum Anlass, zu beschleunigen und sich neben meinen Vater zu setzen.

Und ihn, zum jetzigen Zeitpunkt ausgesprochen unpassend, wie ich fand, anzusprechen. Es war deutlich, dass der Vorausfahrende seine gesamte Aufmerksamkeit auf die von ihm zur Fortsetzung der Fahrt zu erbringende körperliche und geistige Leistung verwenden musste. Nach wie vor konnte jede Irritation das Scheitern des ganzen Unternehmens bedeuten.

Die Annäherung Herrn Wehners wies also entweder auf Gefühllosigkeit, erniedrigende Absicht oder, was mir am wahrscheinlichsten scheint, auf eine Mischung aus beidem hin. Ich war zu weit von den beiden entfernt, um hören zu können, worüber sie sprachen. Aber ich meinte, die Bedrängnis zu spüren, die von der Störung seiner Konzentration auf das Fahren durch den, im Gegensatz zu ihm, etwas Soldatisches ausstrahlenden Nebenmann ausging.

Wir näherten uns der am Ende des Parks liegenden Pergola. Diese, hinter der noch der Obst-

und Gemüsegarten lag, hatten wir zu durchfahren, dahinter ging es dann in den Wald. Ich machte mir Sorgen, denn das Schlingern des väterlichen Rades wurde eher heftiger, als dass man den Eindruck haben konnte, er gewänne an Souveränität.

Nachdem der weinbewachsene Pfeilergang durchfahren war, ging es dann schnell. Ob es wirklich so war oder meine Erinnerung es mir nur so erscheinen lässt – mein Vater stürzte auf eine Art, wie ich es noch nie zuvor gesehen hatte.

Normalerweise ein rascher und heftiger Vorgang, geschah hier alles verblüffend langsam. Ich sah vor mir Herrn Wehner auf der rechten Seite fahren und meinen Vater auf der linken. Anfangs waren beide aufrecht, dann allerdings, bei der Durchfahrt des Gemüsegartens, bekam das Fahrrad meines Vaters Schlagseite nach links.

Mir scheinen in der Seefahrt gebräuchliche Begriffe für das, was jetzt passierte, am geeignetsten, weil sie die Trägheit des Vorgangs verdeutlichen.

Mein Vater stürzte nicht, er kenterte. Es schien, als sei sein Fahrrad leck geschlagen und als führe die dadurch bedingte Schwerpunktveränderung unausweichlich zu einer Havarie. Ich hätte alles darum gegeben, meinem geliebten Vater dies zu ersparen. Musste aber einsehen, dass meine Bemühungen im Vorfeld dieses von Anfang an vergeblichen und hirnverbrannten Unternehmens umsonst gewesen waren.

Ich stoppte, dann sah ich ihn links des Weges – oder besser: Backbord – im dort gelegenen Möhrenbeet landen. Wie immer, wenn sich schlimme Ahnungen bewahrheiten, blieb für einen kurzen Moment die Zeit stehen.

Als Erster erwachte, wenig verwunderlich, Herr Wehner aus der Starre. Monologisierend war er einige Meter weitergefahren und hatte den Sturz dadurch als Letzter bemerkt.

Er drehte sich zu meinem armen Vater um, der, nach dem Überwinden des ersten Schreckens fast wie der Käfer Samsa halb auf der Seite, halb auf dem Rücken liegend, versuchte, Arme und Beine wieder zu ordnen. »Hast ... du dir ... wehgetan?«, fragte Herr Wehner. Ich fand, er klang wie ein Roboter. Keine Antwort vom Kerbtier.

Dann eine mir sehr vertraute Regung meines Vaters, ein Zischlaut, die auf die Konsonanten verknappte Form des exkrementellen Fluchs: »Schss!«

Spätestens jetzt wusste ich, dass hier nichts

mehr zu retten war. Selbst wenn ein robustes Gemüt wie Herr Wehner die Fortsetzung der Fahrt nach kurzem Aufrappeln, einem – vielleicht meinte er sogar gemeinsamen – Abklopfen der Kleidung für denkbar zu halten schien.

Meinem Vater war es mittlerweile gelungen, das sich zwischen seinen Beinen befindliche Fahrrad wegzustrampeln und sich aus der Rückenlage in eine Position zu arbeiten, die man in der Gymnastik als Kniestand bezeichnet. Nochmals Herr Wehner, abgehackt: »Kann ich ... dir ... helfen?«

Wieder keine Antwort.

Da standen wir bei den Möhren, Herr Wehner, der sein Fahrrad an der Hand hielt und an den Unfallort zurückgekehrt war, und ich und warteten, was passieren würde. Die Herren des Begleitkommandos lümmelten beim Kohlrabi herum.

Mein Vater richtete sich auf, zwei Laute waren zu vernehmen: »Aaaah« und nochmals »Schss«. Uns würdigte er keines Blickes. Mit dem rechten Fuß war er aus dem Schuh gerutscht, einem norwegischen Hyttesko, der dort gebräuchlichen Version des Pennyloafers, die er in seiner Freizeit gerne trug. Nachdem er wieder in diesen geschlüpft war, ging er zu seinem Fahrrad, um es aufzuheben. Dann wischte er die feuchte schwarze Erde vom linken Knie und betrachtete traurig, wie mir schien, den Fleck auf der hellgrauen Hose. Er stand schweigend und schaute genau dorthin, wo wir nicht standen.

Dann passierte Folgendes: Mein Vater schmiss das eben erst aufgerichtete Fahrrad wieder auf den Boden, machte kehrt und ging, ohne uns eines Blickes zu würdigen, den zuvor gefahrenen Weg zu Fuß in Richtung des Hauses zurück. Dabei passierte er die angesichts der emotional und psychologisch anspruchsvollen Situation wohl überforderten Sicherheitsbeamten, die zu Boden blickten. Was gar nicht nötig gewesen wäre, sie waren in diesem Moment für ihn ohnehin Luft. Auf seinem Weg zurück zum Haus zündete sich mein Vater mit einem Streichholz, Welthölzer, eine neue Zigarette an. Rauchschwaden stiegen von ihm auf, außer Vogelgezwitscher und dem Knirschen seiner Schritte auf dem kiesbedeckten Weg war nichts zu hören.

Mit Herrn Wehner stand ich vor dem von meinem Vater zurückgelassenen, auf den Weg geworfenen Fahrrad. Dann bedeutete mir der Kollege meines Vaters schweigend, sein Gefährt zu halten, damit er das auf dem Boden liegende väterliche, das, wie ich ahnte, schon nicht mehr seines war, aufheben konnte. Er richtete es auf, nahm zusätzlich seines zurück und schob die beiden Räder, rechts und links von sich jeweils mit einer Hand am Übergang vom Lenker zur Gabel haltend, nun ebenfalls wieder in Richtung Garage. Auch er ging wortlos.

Ich blieb noch eine Weile dort stehen und blickte ihm nach. Die Polizisten Danner und Rybarczyk folgten Herrn Wehner schließlich in einem Abstand, der ihre Verwicklung in diese heikle Sache weiterhin möglichst ausschloss.

Ich setzte mich auf mein Fahrrad und fuhr, den Herren nicht folgend, sondern den ursprünglich eingeschlagenen Weg fortsetzend, zum Gartentor. Dann weiter in den Wald zum großen Weiher, wo es, wie Clemens Kegel mir erzählt hatte, jetzt Kaulquappen gab.

Ich hätte besser auf ihn aufpassen müssen, dachte ich noch.

Blau, gelb und weiss

Ich löschte das Deckenlicht und zog die Vorhänge in meinem Zimmer zu, damit es noch dunkler wurde. Aus den Gesprächen der Erwachsenen hatte ich belauscht, dass in Kürze der Geburtstag meiner Mutter bevorstand und sie überlegten, wie er gefeiert werden sollte. Ich zumindest, so viel war klar, würde sie mit etwas Atemberaubendem überraschen. Wie konnte die Darbietung aussehen, fragte ich mich, die ihnen endlich die Augen öffnete und sie begreifen ließ, dass sie mit einem Artisten, einem Könner unter einem Dach lebten, ohne es zu wissen? Ich sah sie schon mit offenen Mündern dasitzen. Schämen sollten sie sich, meine Fähigkeiten bisher nicht erkannt zu haben. Mein Triumph wollte allerdings gut vorbereitet werden.

Ich hatte alles, was ich dafür brauchte, im Laufe des Nachmittags zusammengesucht. Den Zylinderhut meines Vaters, ebenso eine Perlenkette und einige Ringe, die ich aus der Schmuckschatulle meiner Mutter genommen, in meine Hosentaschen gestopft, hierhergeschmuggelt hatte und jetzt anlegte.

Zu Weihnachten hatte ich einen Zauberkasten bekommen. Auf dem Deckel stand »Mister Magie«, die großen roten Buchstaben beschrieben einen Halbkreis. Darunter sah man das gezeichnete Profil eines Mannes mit Zylinder und Schnurrbart, der einen über die linke Schulter anblickte. Der Kasten lag geöffnet vor mir. Er enthielt Zubehör für »mehr als fünfzig Tricks«, wie im Anleitungsbuch zu lesen war, das ich jetzt zum ersten Mal durchblätterte, ohne dass mich darin etwas ansprach. Bisher war ich zu faul und ungeduldig gewesen, diese Erklärungen zu lesen, und hatte mit den Zauberrequisiten nur improvisiert, was zu nichts geführt hatte. Beispielsweise hatte ich versucht, mir mithilfe einiger präparierter Spielkarten, die ich unter unser reguläres Kartenspiel aus dem Wohnzimmer gemischt hatte, beim Mau-Mau einen Vorteil zu verschaffen. Ich war damit aber wegen der verschiedenfarbigen

Rückseiten der Karten sofort aufgeflogen. Danach war ich beleidigt gewesen und hatte das Interesse verloren, der Zauberkasten gammelte unbenutzt im Schrank vor sich hin.

Aber das, was ich nun plante, hatte mit Kindereien nichts zu tun. Ich nahm den Zauberstab aus dem Kasten, dieser immerhin schien brauchbar, wurstelte den Bezug von meiner Bettdecke, warf ihn mir um die Schultern und knotete die Enden am Hals zusammen. Mein Cape war nicht schwarz wie das von Herrn Magie, sondern orange mit braunen Punkten, sah aber passabel aus, wie ich fand.

In der Schachtel, die ich vor einigen Tagen vom Wohnzimmertisch hatte mitgehen lassen, fand ich einige halb abgebrannte Streichhölzer, die mein Vater nach Gebrauch in diese zurückgelegt hatte. Die verkohlten Enden benutzte ich, um mir einen Schnurrbart zu malen.

Dann stellte ich mich in die Mitte des Raumes, schloss die Augen und begann, mich wie ein Derwisch zu drehen, um durch den so erzeugten Schwindel in Stimmung zu kommen. Als ich anhielt, taumelte ich, auch weil ich auf den zu langen Umhang getreten war, und fing mich schließlich dadurch auf, dass ich die Arme in einer beschwörenden Geste zur Decke warf. Nur was und wen ich eigentlich beschwören wollte, war mir nicht klar. So riss ich stumm den Mund auf und rollte mit den Augen, in der Hoffnung, dies sei der Situation angemessen.

In der Ecke raschelte in seinem Käfig erschreckt das Meerschweinchen. Vielleicht könnte es ja wie das Kaninchen eines Zauberkünstlers, den ich vor einer Weile bei meinem ersten Zirkusbesuch gesehen und bewundert hatte, bei Gelegenheit aus meinem Hut gesprungen kommen? Aber mir schwebte Größeres vor. Falls noch Zeit bliebe, könnte ich später darauf zurückkommen und mit dem Schwein, um mich und das Publikum in Schwung zu bringen, eine Kleinigkeit für den Beginn der Vorstellung einüben. Kurz dachte ich darüber nach, mir Verstärkung zu holen. Wie wäre es, mein Kindermädchen Stine in einem paillettenbesetzten Glitzeranzug (»Glitzeranzug besorgen! – Woher???«, schoss es mir durch den Kopf) an eine Drehscheibe zu binden und deren Silhouette mit Messerwürfen nachzuzeichnen? Oder sollte ich die Haushälterin Frau Dörfel in eine Kiste legen und vor aller Augen in zwei Teile zersägen? Ob es eine Kiste gab, die groß genug für Frau Dörfel war? Und, falls ja, was, wenn beim Messerwerfen und Zersägen etwas schiefginge? Dann verlöre ich die beiden womöglich, die ich doch so liebte.

Mit meinen Planungen schon jetzt in der Sackgasse gelandet, kippelte ich auf dem Stuhl hin und her, griff nach der Welthölzerschachtel und entzündete ein Streichholz. Ich probierte, wie lange ich es in der Hand behalten konnte, ohne mir die Finger zu verbrennen, und warf es im letzten Moment auf den Tisch, wo es verglühte und einen Fleck hinterließ. Mit dem Nagel meines Zeigefingers pulte ich die von der Hitze aufgeweichte Farbe auf der Tischplatte ab und betastete uninspiriert den winzigen Krater. In der Hoffnung, mich in ein Gefühl kreativer Erhabenheit versetzen zu können, begann ich, die Melodie der Eurovisions-Fanfare, die immer vor »Einer wird gewinnen« mit Hans-Joachim Kulenkampff gespielt wurde, leise vor mich hin zu summen. Kaum war ich aufgestanden, ließ ich mich schon wieder, wie von einem tödlichen Schuss getroffen, röchelnd zu Boden sinken. Eine Angewohnheit, mit der ich meine Angehörigen schon das eine oder andere Mal erschreckt hatte. Der Zylinder kullerte über den Boden, ich lag da und schaute an die Decke. Immer noch summend schob ich mich rücklings in Richtung der Gardinen, steckte den Kopf unter ihnen hindurch und schaute durch das Fenster in den Abendhimmel. In meiner Hand immer noch die Streichhölzer. Ich nahm eines heraus, entzündete es und kam damit für einen kurzen Moment zu nah an den Vorhang. Ein kleines blaues Flämmchen tanzte in der Falte des Stores nach oben und erlosch dort. Erschreckend war das und andererseits vielversprechend. Damit ließe sich vielleicht etwas anfangen. Ich rappelte mich hoch, setzte den Zylinder, der unter den Tisch gerollt war, wieder auf und klappte die Ohren unter der Krempe um, damit sie als Bremse den viel zu großen Hut davon abhielten, mir bis zum Kinn herunterzurutschen. Dann richtete ich den Umhang und hielt meine beringten Finger in den Lichtschein, den die Gartenlaterne vor dem Fenster durch einen Schlitz im Vorhang ins Zimmer fallen ließ. Die Sache kam langsam in Schwung, und ich klimperte ein wenig in der Luft herum wie Franz Lambert auf seiner Wersi-Orgel, der Diamantring warf Reflexe auf Wand und Gardine. Mein Summen wurde zu einem zaghaften, dann immer beherzteren und lauteren Singen.

Die Stores, an denen das Feuer diesen wunderbaren Effekt machte, fanden sich im ganzen Haus, und ich würde mit der Nummer bei einer späteren Vorführung im Wohnzimmer und, wer weiß, vielleicht sogar einmal im Salon vor Gästen, große Wirkung erzielen können. Eventuell wäre es sogar möglich, mithilfe von Fernzündungen, über deren Konstruktion ich mir noch Gedanken zu machen hätte, das Haus an mehreren Stellen gleichzeitig zu illuminieren und mein Publikum draußen auf der Terrasse zu platzieren.

In dem aufsteigenden Begeisterungstaumel strich ich ein neues Hölzchen an, machte einen Ausfallschritt zur Gardine hin, ließ die Flamme hinaufzüngeln und warf es mit ausladender Geste hinter mich. Gleich noch eines, ich summte dabei einen Tusch.

Diesmal allerdings erloschen die Flammen nicht, sondern begannen, sich an der oberen Kante der Gardine auszubreiten. Mittlerweile laut singend betrachtete ich, wie sie langsam größer wurden und ihre Farbe von blau zu gelb und weiß wechselten. Es roch auch schon, Rauch breitete sich aus, aber ich wollte keinesfalls, dass man auf mich aufmerksam wurde, bevor die Szene ausgearbeitet und vorzeigbar war. Also griff ich die herumliegende Fahrradluftpumpe und stieg auf den Stuhl, um damit das Feuer auszupusten. Statt dass es erlosch, wurde es erstaunlicherweise größer und begann zu knistern. Ich pumpte noch schneller, schwitzte vor Anstrengung und Hitze, der Zylinder rutschte mir wegen der feuchten Ohren über die Augen. Ich sah nichts mehr und musste ihn immer wieder hochschieben, während die Flammen sich jetzt nach unten ausbreiteten, jedoch viel größer und heller als zuvor. In meinem Kopf begann es zu rauschen und zu pfeifen, als ob gerade kleine Fledermäuse in meinen Gehörgängen lärmten. Aber noch war meine Erregung stärker als die Angst, es überwog das Gefühl, vor der Entdeckung eines großen Spektakels zu stehen. Wie das Feuer an den Fenstern breitete sich in mir nun aber auch der Zweifel aus, ob ich die Lage noch allein würde beherrschen können. Bereit, den Kampf aufzunehmen, sprang ich vom Stuhl und versuchte, mich an den Zirkuszauberer zu erinnern, wie er seine erstaunlichen Kunststücke vorgeführt hatte. Er hatte doch nach Belieben Dinge auftauchen und verschwinden lassen können, und zwar mit Grandezza! Wo war der verdammte Zauberstab geblieben? Ich sprach mit den Flammen, beschwor sie, zu verschwinden. Was sie nicht taten. Dann riss ich den Zylinder vom Kopf, knotete mein Cape, also den Bettbezug, auf, schwang es mit beiden Händen in der Art eines Toreros und hoffte, das Feuer so einfangen oder bezähmen zu können. Als das alles nichts nützte, versuchte ich es mit Freundlichkeit und bettelte es wieder an, sich zurückzuziehen, damit ich die ganze Sache noch einmal überlegter, vorsichtiger, in einem günstigeren Moment, in dem ich nicht so schrecklich aufgeregt wäre, von vorne beginnen könnte.

Aber die Flammen waren schneller als meine Gedanken.

Panik erfasste mich, Tränen schossen mir in die Augen, und der Rotz nahm das angemalte Menjoubärtchen gleich mit, als ich mir mit dem Ärmel übers Gesicht wischte.

Ich hatte aufgehört zu singen. In kürzester Zeit war ich aus der Euphorie in tiefe Verzweiflung gestürzt. Ich hatte das Gefühl, sterben zu müssen, wenn nicht im Feuer, dann vor Reue. Es gab, so schien es mir, nur zwei Möglichkeiten der Demütigung, die dieses Unglück bedeutete, zu entkommen: Entweder ich schloss die Tür von innen ab, warf den Schlüssel aus dem Fenster und ließ mich, der ich das Lebensrecht verwirkt hatte, von der Glut verschlingen. Ich sah in Gedanken meine trauernde Mutter am Grab zusammenbrechen. Oder ich verließ still das Zimmer, verriegelte die Tür von außen, überließ die Meinigen den Flammen und lief fort, so weit ich konnte, in eine ungewisse Zukunft, ohne Aussicht, jemals zurückkehren zu können. Hier wiederum tauchte vor mir das Bild auf, wie ich verwaist, zerlumpt und abgemagert auf meinen Fußlappen eine Landstraße entlangschlich, den Wanderstock mit Bündel über der Schulter.

Hustend und zitternd vor Angst, Aussichtslosigkeit und dem Hass desjenigen, der um seine Schuld weiß, stand ich in diesem Inferno und wünschte mir eigentlich nur, dass einer käme und mich rettete. Oder wenigstens jemand, auf den ich mit dem Finger hätte zeigen und ihm die Schuld geben können.

Warum konnte ich meinen Fehler denn nicht einfach ungeschehen machen? Bis vor einigen Augenblicken war ich davon überzeugt gewesen, dass alles, was ich mir ausdachte, schon deshalb wirklich war. Und nicht nur vielleicht Wirklichkeit werden konnte. Ich spürte jetzt, ohne dass ich es hätte beschreiben können, wie sich in meiner Seele etwas verschob. So, wie im Sturm eine scheinbar sicher vertaute Schiffsladung ins Rutschen gerät und das Schiff am Ende in die Tiefe zieht. Ich hatte geglaubt, dass alles umkehrbar und verzeihbar wäre. Dieser Moment, in dem ich ahnte, dass das nicht stimmte, war der schrecklichste, den ich bisher erlebt hatte. Er war viel angsteinflößender als das Feuer, denn es bröckelte jene Gewissheit, die das Fundament meines bisherigen Lebens gewesen war. Obwohl die Situation immer bedrohlicher wurde, stand ich wie gelähmt da.

Kurz schöpfte ich Hoffnung aus der Idee, die Schande doch noch in einen Erfolg verwandeln zu können, indem ich die von mir selbst ausgelöste Katastrophe nutzte, um meine Familie vor ihr zu retten! Was, wenn ich so täte, als hätte *ich* das Feuer entdeckt? Wenn ich daraufhin Alarm schlug, die anderen warnte und zum Retter, also doch noch zum Helden wurde? Niemand würde dann danach fragen, wie es zum Ausbruch des Feuers gekommen war.

So verzweifelt ich auch war, sah ich mich doch schon den Feuerwehrhauptmann in seiner Uniform mit dem silbern glitzernden Helm vor der Haustür in Empfang nehmen und ihn, während wir im Laufschritt die Treppe hinaufeilten, mit kühlem Kopf und Verstand über die Lage ins

Bild setzen. Die anderen wären ja noch in heller Aufregung, während ich schon Zeit gehabt hatte, mich der Situation mannhaft zu stellen. Nach getaner Arbeit würde ich dann mit den Feuerwehrleuten auf ihrem Löschwagen sitzen, vielleicht würden sie mich sogar die Leiter hinauf in den Korb klettern lassen, wir würden unter dem Läuten der Alarmglocken im Kreis herumfahren und feiern, dass am Ende, dank meiner Geistesgegenwart, alles gut ausgegangen war. In der Aussichtslosigkeit meiner Lage ließ mich diese Vorstellung doch lächeln.

Plötzlich wurde hinter mir die Tür aufgerissen, das Feuer loderte auf, ich hörte einen Schrei, drehte mich um, und meine Mutter und ich blickten einander in die aus ganz unterschiedlichem Grund entsetzten Gesichter.

Ich weiß nicht, wie ich aus dem brennenden Zimmer kam, sicher zog sie mich gleich heraus. Kurz darauf entstand jedenfalls ein hektisches Rufen und Rennen auf dem Flur. Es wurde eine Kette gebildet, Wassereimer weitergereicht, schließlich betätigte Herr Konopka den im Treppenhaus befindlichen Feuerlöscher, und ich sah mit an, wie er uns rettete.

Als Einziger an der Feuerbekämpfung nicht

beteiligt, verfolgte ich das alles, wie ausgestopft in den Überresten meiner Verkleidung stehend, aus einer Distanz, die sich, obwohl ich mich nicht bewegte, immer mehr zu vergrößern schien.

Später stellte meine Mutter mich zur Rede, sie schimpfte laut, während sie mir ihre Perlenkette abnahm, ich streifte die Ringe von den Fingern und gab sie ihr. Stur senkte ich den Blick und malte mit dem rechten Fuß imaginäre Achten auf den Boden, bis sie mit beiden Händen meinen Kopf nahm und ihn nach oben drehte, damit ich ihr endlich in die Augen sah. Ich rächte mich dafür, indem ich durch sie hindurchsah, sodass sie trotz der Nähe für mich nur ein Geräusch und höchstens ein Schemen blieb und nicht zum Bild wurde. Ein Trick, den ich mir irgendwann hatte einfallen lassen, um mich solchen Bedrängnissen zu entziehen. Ich hätte ihr gerne erklärt, wie und warum es zu diesem Desaster gekommen war, dass ich über das, was ich angerichtet hatte, tieftraurig war und unser Haus doch in bester Absicht angezündet hatte, brachte aber kein Wort heraus. Gleichzeitig war ich wütend, weil es die ganze Zeit nur um das Misslingen und nicht um das ging, was ich eigentlich gewollt hatte. War das nicht wichtiger?

Noch lange, wenn ich meinen Kopf auf das Schulpult legte und die Nase in meine Armbeuge steckte, konnte ich den Qualm im zwischenzeitlich x-mal gewaschenen Pullover riechen und mich so an das abhandengekommene Leben erinnern, in dem alles möglich gewesen war.

Langsam besser

Ein kurzer Moment, in dem es sich anfühlt, als ob die Zunge durch Herandrücken an den oberen Gaumen davon abgehalten werden muss, verschluckt zu werden. Das war die Vorstufe des Schmerzes, auch, wenn ich die Anzeichen noch zu ignorieren versuchte. Dann folgte in kurzen Abständen eine Art Testräuspern, das Überprüfen in ungeduldiger Erwartung des Schmerzes. Die Halsentzündung kündigte sich jeden Winter auf diese Weise an.

Ich ging in die Küche, holte die Golden-Toast-Packung aus dem Brotkasten und tat vier Scheiben in den Toaster, Stufe 3, leicht gebräunt, nicht zu knusprig. Bestrich sie mit Butter. Sie war immer zu hart, deshalb musste ich sie zum Schmelzen auf der heißen Brotscheibe liegen lassen, während ich das Nutellaglas aus der Kammer holte. Die flüssig gewordene Butter verteilte ich mit der Schokoladencreme auf dem Brot, die Masse sah jetzt aus wie dunkler Marmor. Ich nahm den Teller, ging zurück in mein Zimmer und setzte mich an den Schreibtisch. Scheibe für Scheibe klappte ich vorsichtig zusammen und achtete darauf, dass der Inhalt nicht heraustropfte. Zu jedem Bissen gehörte ein Quantum Milch, das Glas hatte ich mit imaginären Maßstrichen versehen. Nach dem Essen wurde ich müde und legte mich hin.

Eine Stunde später erwachte ich schweißgebadet. Ich spürte den stechenden Halsschmerz und war fast erleichtert. So blieb ich liegen und spielte mit der durch das Fieber veränderten Wahrnehmung herum. Langsam drehte ich den Kopf von einer Seite auf die andere und spürte dem leichten Schwindel nach, den das verursachte. Es war, als ob das Hirn der Bewegung erst mit einer kleinen Verzögerung folgte und dann nachwaberte. Ich stand auf, um meine Mutter zu suchen, und sagte ihr, was los war. Dann ging ich zurück in mein Zimmer, schlug das Bett auf und nahm einen frischen Pyjama aus dem Schrank.

Meine Mutter kam mit Fieberthermometer

und Niveacreme. Während das Ding in meinem Hintern steckte, wusste ich immer schon im Voraus, was bei der Messung herauskäme: 38,5°. Später stieg es bis 39,8°, dann Wadenwickel. Einen nur kurz kühlenden Waschlappen auf der Stirn, glotzte ich ins Leere.

Ich bekam eine in Wasser aufgelöste Aspirintablette, die scheußlich schmeckte und deren ätzende Partikel sich an den entzündeten Rachen hefteten. Hustete ich, wurde mir Wick Vaporub auf die Brust geschmiert, die Mentholpaste brannte auf der Haut und fühlte sich eiskalt an. Das Wick Vaporub wurde mit einer Schicht Watte bedeckt, die kitzelte.

Die Augen tränten von den ätherischen Dämpfen.

Meine Mutter zog mir die Decke bis zum Kinn hinauf und strich sie glatt. Sie gab mir in diesem Moment das Gefühl vollkommener Sicherheit. Mir gefiel die Überschaubarkeit meines Patientenlebens ganz gut. Feste Abläufe, Zeiten, vertraute Menschen.

Am nächsten Morgen schlurfte ich, nachdem meine Mutter aufgestanden war, in ihr Zimmer und verbrachte den Tag in ihrem Bett. Dort lag ich und schaute benommen auf die Titel der Bücher im Regal, die mir rauschhafte gedankliche Abschweifungen verschafften.

»Niemand ist eine Insel«!

Wenn niemand eine Insel war, wer war dann dieser Niemand? Ich stellte mir einen Herrn Niemand vor als einen ernst blickenden, untersetzten Herrn im Anzug, mit Hut und Stock. Aber *warum* war dieser Herr Niemand eine Insel? Weil er so freudlos war und deshalb gemieden wurde?

Oder war es vielleicht so, dass die Inseln – ich war mit den Eltern schon auf einigen gewesen – in Wirklichkeit keine Gebilde aus Fels und Erde, mit Sand und Pflanzen und Tieren darauf waren? Sondern Lebewesen, kauernde Riesen? Und dass deswegen niemand von uns eine Insel war, weil *wir* eben nur einfache Menschen und keines dieser Wesen waren?

In diesen psychedelisierten Stunden schien mir, dass das Unverständliche nicht bedrohlich war. Es konnte mir Räume eröffnen, die ich mit all dem, was ich dachte und fühlte, anfüllen konnte, wie ich wollte.

Weil meine Mutter kürzlich die Homöopathie für sich entdeckt hatte, war es ein ständiges Abzählen von Tropfen und Kügelchen, die, manchmal auf, dann wieder unter der Zunge zu deponieren waren.

Andere waren unbedingt sofort hinunterzuschlucken. Eine im Wasserbad erhitzte übelriechende Paste gab es, die mir auf den Hals geschmiert und mit einer Mullbinde sowie einem Schal umwickelt wurde. Oder Bestrahlungen mit dem Rotlicht, eine Prozedur, die mir auf die Nerven ging, weil ich aufrecht, aber verdreht im Bett sitzen musste, der auf dem Nachttisch platzierten Lampe zugewandt. Eine positive Wirkung konnte ich nicht feststellen. Stattdessen tat mir danach der Nacken weh.

Da nach einigen Tagen keine Besserung eingetreten war, stand der Besuch bei Professor Doktor Terentius in Düsseldorf an. Dieser genoss das unbedingte Vertrauen meiner Mutter. Deshalb gab es keine Alternative, etwa das Aufsuchen des örtlichen Kinderarztes.

Nebst Bettzeug wurde ich auf der Rückbank des Wagens platziert. Meine Mutter setzte sich auf den Beifahrersitz neben ihren Chauffeur Herrn Kapellmann, einen lustigen, pausbäckigen Rheinländer mit Koteletten und sorgsam überkämmter Halbglatze, den ich sehr lieb gewonnen hatte.

Auf der Autobahn ging es an der stinkenden Raffinerie in Wesseling vorbei. Vom Kölner Verteiler dann in Richtung Norden nach Düsseldorf. Beim Überqueren des Rheins auf der dortigen Südbrücke gab meine Mutter mir Bescheid, damit ich auf die mir im Vergleich zur Heimatstadt riesig erscheinende Metropole Düsseldorf blicken konnte.

Bei Dr. Terentius angekommen, wurden wir ins Behandlungszimmer des grau melierten Homöopathen geführt.

Ich bekam eine Gnadenfrist, weil meine Mutter, die unter Gastritis litt, wie immer vor mir drankam. Dies bedeutete Folgendes: Doktor Terentius injizierte mit riesigen Spritzen sogenanntes Ozon in die erkrankte Körperstelle. Mit der Nadel stieß er durch die mütterliche Bauchdecke in deren Eingeweide.

Die Spritzen waren nicht Einwegspritzen aus Kunststoff, sondern von einem Metallrahmen eingefasste gläserne Ungetüme, an die eine ungefähr zehn Zentimeter lange Injektionsnadel geschraubt war.

Als ich an die Reihe kam, riss ich auf Dr. Terentius' Anweisung hin den Mund so weit auf, wie ich konnte. Geschäftig stocherte der Arzt dann mit der Nadel in meinen Tonsillen herum, damit die Wundersubstanz überallhin gelänge. Zwischendurch kratzte er mit einem Holzspatel gelblich-weiße Eiterflocken, die ich zu Hause im Badezimmerspiegel schon ausgiebig betrachtet hatte, von den Mandeln und wischte sie auf einem Papiertuch ab. Zum Abschluss gab's »*Noch ein bisschen Ozon!*« – eine Spritze in den Hintern, die mehr wehtat als alles andere. Dem Schmerz, den ich empfand, nahm ich die Grausamkeit, indem ich ihn zur Einbildung degradierte.

Nun durfte ich mich auf Doktor Terentius' Stuhl setzen und mir Illustrierte anschauen, am liebsten den »stern« und die »Quick«. Schweigend betrachtete ich die Bilder der leicht bekleideten Frauen. Während ich, von der injizierten Substanz bereits leicht benommen, in den Heften blätterte, setzten meine Mutter und der Homöopath sich auf die Ledersitzgruppe, plauderten und zündeten sich erst mal eine an.

Erst nachdem das Behandlungszimmer gründlich vollgequalmt war, brachen wir auf. Der Naturheiler verschrieb mir, wenig überraschend, viele verschiedene Tropfen und Kügelchen und ordnete an, nächste Woche wiederzukommen.

Die Anstrengung der Reise oder vielleicht sogar das Ozon ließen mich auf der Rückfahrt geradezu heißhungrig werden. Wir hielten bei der Imbissbude Frittenpitter in Ippendorf, unserem Nachbarbezirk.

Herr Kapellmann hatte mich eines Tages, als wir, aus einem mir nicht erinnerlichen Grund, zusammen unterwegs waren, zur Mittagszeit dorthin mitgenommen. Ich war dem Lokal seitdem in atmosphärischer wie auch kulinarischer Hinsicht verfallen. Ich liebte die schlauchige Enge des Ortes, den Fettgeruch, die warmen Essensdämpfe und die Schlagermusik. Hinter dem Tresen stand immer ein Herr, der Frittenpitter persönlich, wie ich vermutete.

Während Herr Kapellmann für uns bestellte, überlegte ich, mittlerweile voll auf Ozon, ob Frittenpitter wohl der Vor- oder Nachname des Mannes war. Ob er Frittenpitter Schmitz hieß oder Norbert Frittenpitter? Oder ob sein Name Pitter Fritten war und die Bezeichnung des Lokals dem Brauch entsprach, zuerst seinen Nachnamen zu nennen, also: Fritten, Pitter. Wenn ja, war es ein schöner Zufall, dass der Mann so hieß wie das, was er verkaufte. So ungewöhnlich allerdings wieder nicht. Wie viele gab es, die Schuster, Müller oder Schneider hießen und auch diesen Berufen nachgingen?

Herrn Kapellmanns Vorbild folgend, entschied ich mich für eine Currywurst mit Fritten und Zigeunersoße.

Frittenpitter bedeutete für mich, Dr. Terentius und seinen Spritzen entwischt und noch einmal mit dem Leben davongekommen zu sein.

Kapellmann ging hinein, um die köstliche Mahlzeit zu holen. Diese verschlang ich dann halb aufgerichtet auf der Rückbank des Wagens während der restlichen Heimfahrt. Lange starrte ich auf die hochsteigenden Kohlensäurebläschen in meiner Fantaflasche.

Offensichtlich machte es mir nichts aus, die scharfe Zigeunersoße an meinen traktierten Mandeln vorbeizumanövrieren. Die Pappschale noch in der Hand, zeichnete ich mit der kleinen gelben Plastikgabel Männchen in den zähen Soßenrest. Mir schwante, dass diese Stärkung mich viel eher wieder auf die Beine brächte als die Pillen und Pasten, Tropfen, Infrarotstrahlen und sonst wo platzierten Injektionen. Immerhin, wenn die Behandlung bei Professor Terentius die so oder so drei Wochen während Krankheitsdauer auch nicht verkürzte, so verhalf sie mir durch den Ausflug und die entrückende Wirkung des Ozons wenigstens zu einer Abwechslung von der Monotonie meiner Bettlägerigkeit.

Mühsam stieg ich die Treppe hoch, ging in mein Zimmer und setzte mich aufs Bett. Meine Mutter schüttelte das mitgenommene Bettzeug auf.

Am Abend saß sie bei mir, bis sie dachte, ich schliefe. Ich tat aber nur so.

Sie gab mir einen Kuss auf die heiße Stirn und ging hinaus. Im Dunkeln schaute ich an die Zimmerdecke, die sich ganz langsam drehte. Zweifelnd, ob nicht vielleicht einer, der zwar so hieß wie ich, der aber nicht ich war, mir bei alldem zusah. Einer, der sich dieses ganze Leben nur ausdachte.

Nirgendwo sonst

Holgers Eltern hatten sich schon hingelegt.

Den Geschmack der fremden Zahnpasta im Mund saß ich in meinem Schlafanzug auf dem Bett.

Holger stand am Aquarium und fütterte die Guppys. »Och nö, bitte jetzt nicht Jimmi«, sagte er.

Er sprach es deutsch aus, also nicht Dschimmy, sondern Jimmi, wie Jienshosen.

»Wer?«

»Die machen jetzt wieder Jimmi.«

Ich hatte keine Ahnung, wovon er sprach.

Was ich hörte, war ein leises, regelmäßiges Quietschen, das ich aber nicht einordnen konnte. Ein wenig klang es wie der durchdrehende Anlasser eines Autos. Es hätte aber auch ein Vogel sein können. Eine Taube vielleicht, die klangen so ähnlich, nur tiefer. Eine *kleine* Taube? Andererseits schien das Geräusch direkt aus der Wand oder dem dahinter liegenden Elternzimmer zu kommen, weswegen weder das eine noch das andere in Betracht kamen. Rätselhaft, und Holger machte keine Anstalten, mir zu erklären, was los war. Er verdrehte nur die Augen und tippte weiter mit dem Zeigefinger an die Fischfutterdose.

Nach dem Spiel hatten mich Holger und dessen Vater mitgenommen. Seit Wochen hatte ich mich darauf gefreut, dort zu übernachten. Holger hatte mir schon so viel von seinem prächtigen Zuhause erzählt, dass ich jetzt Lampenfieber empfand. Die beiden Sicherheitsbeamten, die mich begleiteten und beschützten, waren uns in ihrem Wagen gefolgt, unseren Käfer stets im Blick behaltend. Vor dem dreigeschossigen Mehrfamilienhaus, in dem Holgers Familie im mittleren Stock wohnte, waren sie ausgestiegen und hatten kurz mit seinem Vater gesprochen, wahrscheinlich hatten sie den Zeitpunkt meiner morgigen Abholung verabredet. Als sie weggefahren waren, hatte ich ihnen zugewunken, und Herr Danner am Steuer hatte den Winnetougruß gemacht, während sein neuer

Kollege Herr Volquardsen auf der anderen Seite zum Fenster hinausgestarrt hatte.

Das Geräusch war jetzt deutlicher vernehmbar. Regelmäßiges Quietschen, offenbar mechanischen, nicht stimmlichen Ursprungs, dessen Ursache ich durch Holgers genervte Schweigsamkeit allmählich ahnte.

Jimmi – jimmi – jimmi – jimmi – jimmi – jimmi.

Er ging vom Aquarium zum Plattenspieler und legte die Platte von Slade auf, die er von der Mannschaft zum Geburtstag bekommen hatte. »Mama, weer all crazee now«. Obwohl die Musik das andere Geräusch nun übertönte, ging meine ganze Aufmerksamkeit zur Wand hin, fast war es, als wartete ich nur auf die Leerrille der LP, die Pause zwischen dem laufenden und dem nächsten Titel, um zu horchen, wie nebenan der Stand der Dinge war.

Unser Torwart Nettekoven hatte vor einiger Zeit davon erzählt, wie seine Eltern, deren Doppelbett wohl in eine Schrankwand integriert und aus dieser auszuklappen war, eine Nacht und einen halben Tag lang lebendig unter ebenjener begraben gewesen waren, weil diese auf sie gestürzt und nicht mehr wegzubewegen gewesen war.

Erst der am Sonntagnachmittag heimkehrende Sohn hatte Hilfe holen können, sodass die Eingeklemmten schließlich befreit worden waren. Nettekoven hatte gekreischt, seine Eltern seien »am Poppen« gewesen, als das Unglück geschah, was meinen Verdacht verstärkt hatte, dass er sich das Ganze nur ausgedacht hatte. Bei einer Unterhaltung der Polizisten Stöckl und Danner hatte ich einmal belauscht, wie der Erstere eine ähnliche Geschichte aus dem Express vorgelesen hatte, in der das von Nettekoven verwendete Tätigkeitswort selbstverständlich nicht vorgekommen, sondern launig umschrieben worden war. Hier war ein Paar in einem Auto eingeklemmt gewesen und war aus diesem mithilfe eines Schweißbrenners befreit worden, die Sache hatte sich überdies in England zugetragen. Wie auch immer, Herr Danner hatte sich nicht mehr eingekriegt.

Wir legten uns ins Bett, Holger in seines, auf dem ich bisher gesessen hatte, und ich auf die Schaumgummimatratze am Boden davor. Die Aquariumlampe warf einen violetten Schein an Decke und Wand, sodass eine gemütliche, aber auch etwas spukhafte Atmosphäre entstand. Jimmi und Slade waren verstummt, und ich schaute nach oben zu Holger, sah aber nur dessen borstiges Haar aus dem Kissen emporstehen und sich gegen die Wand abzeichnen. Nach kurzer Zeit hörte ich gleichmäßiges Atmen.

Ich dachte an den herrlichen, hinter uns liegenden Abend: Gemeinsam mit Holgers Eltern hatten wir die Sendung »Drei mal Neun« mit Wim Thoelke angeschaut und dabei die von Holgers Mutter auf einer Platte angerichteten Champignonstreichkäse- und Salamibrote verdrückt. Zwischen den Broten fächerartig aufgeschnittene Gewürzgurken. Die Petersilienröschen und die schon enzymatisch angebräunten Apfelschnitze hatte ich vorsichtig an den Rand meines Tellers geschoben, was Holgers Mutter trotzdem bemerkt hatte. Als sie mich darauf angesprochen hatte – ich war, ertappt, sofort rot geworden –, hatte Holger mich gerettet, indem er das kleine Häufchen genommen und sich komplett in den Mund gesteckt hatte – Gelächter. Später hatte es für jeden noch eine Portion Fürst-Pückler-Eis mit einer hineingesteckten Kekswaffel gegeben, zum Abschluss waren bunte Glasschälchen mit Fischlis und Weingummi auf den Tisch gekommen.

»Schade, dass du morgen nicht noch zum Mittagessen bleibst«, hatte Holgers Mutter gesagt,

»da gibt's Siegfrieds Lieblingsessen, Zunge in Madeira.«

Mein Lächeln hätte alles Mögliche bedeuten können, das hatte ich mir bei meiner Mutter abgeguckt. Jetzt allerdings war ich heilfroh gewesen, morgen Mittag schon sehr weit weg zu sein. Holgers Eltern hatten Bier getrunken, Kurfürsten Kölsch, wir Tri-Top Mandarine, für Gläser und Flaschen hatte es Untersetzer gegeben, die Holgers große Schwester Biggi aus Fimo modelliert und gebrannt hatte, und ich war begeistert gewesen von der Wohlgeordnetheit dieses Lebens.

Alles und jeder schien seinen festen Ablauf und Platz zu haben und wie bei der Märklinbahn in überlegt vorgegebenen Spuren zu laufen, ohne jegliche Gefahr der Abweichung oder des Zusammenstoßes. Es hatte auf mich den Eindruck gemacht, als würde hier eine Handlung, nachdem sie erprobt und für gut befunden worden war, von da an auf immer die gleiche Weise ausgeführt. Fragen, die sich mir täglich stellten und deren Beantwortung einen Großteil meiner Zeit beanspruchte, schien es hier gar nicht zu geben.

Auf ein für mich unsichtbares Zeichen hin, vielleicht zur immer gleichen Uhrzeit, waren zum Beispiel alle Mitglieder der Familie in ihren

Zimmern verschwunden, um sich einige Minuten später in verschiedenen Varianten von Freizeitkleidung zum Fernsehschauen im Wohnzimmer einzufinden.

Holger und ich hatten schon unsere Pyjamas getragen, sein Vater einen leuchtend blauen Trainingsanzug mit weiß-schwarzem Adlerwappen und der Aufschrift Bundeswehr über dem Herzen, der seiner ohnehin gedrungenen Gestalt zusätzlich etwas noch Kastigeres verliehen hatte. Die Jacke war geöffnet gewesen, man hatte das Unterhemd und seine starke Brustbehaarung gesehen, in diese sanft eingebettet einen kleinen goldenen Anhänger an einer ebensolchen dünnen Kette, der das Sternzeichen des Widders zeigte. An den Füßen hatte er Cordschlappen der Marke Romika »mit Fußbett« getragen, wie er mir einmal erklärt hatte. Beim Training hatte ich über Schmerzen in der rechten Achillessehne geklagt, und Holgers Vater war sich, als ich ihm davon erzählt hatte, sicher gewesen, es läge daran, dass meinen Schuhen ein anständiges Fußbett fehlte. Das Thema war noch mehrmals aufgekommen, immer wieder hatte er mich mit ernsthaft besorgter Miene gefragt, ob in der Fußbettfrage schon etwas geschehen sei. Er schien davon besessen zu sein. Meine Mutter allerdings hatte, als ich ihr meinen Wunsch nach Schuhen mit anständigem Fußbett vortrug, nur verständnislos mit den Schultern gezuckt.

Nun in einen einteiligen orangefarbenen Frotteeanzug mit goldenem Reißverschluss gekleidet, hatte Holgers Mutter einen weiteren Teller mit Broten gebracht, auch sie hatte Hausschuhe getragen, bei denen kein Zweifel daran bestehen konnte, dass sie den allerhöchsten Ansprüchen an Gelenkstütze und Längsgewölbehalt genügten, möglicherweise war sogar eine Spreizfuß-Pelotte eingearbeitet, wer weiß.

Holgers Schwester Biggi, die schon fünfzehn und heute Abend auf einer Party war, übernachtete ihrerseits bei einer Freundin. Ob ich das bedauerte oder es mich eigentlich erleichterte, war mir nicht ganz klar. Wahrscheinlich beides zugleich.

Die Neubauwohnung von Holgers Familie bestand aus Wohn- und Elternschlafzimmer, den Zimmern von Holger und Biggi, der Küche und dem Bad. Allesamt gingen sie vom Flur ab, in dem neben der Wohnungstür eine Garderobe angebracht war und wo auf Höhe der Küchentür ein Tischchen mit dem brokatbezogenen Telefon und einem ebenso veredelten Nummernverzeichnis stand. Ich war gleich beeindruckt gewesen, dass in dieser Wohnung durch die Sorgfalt ihrer Bewohner alles eine optische als auch praktische Aufwertung erfahren hatte.

Das Wohnzimmer war ein recht kleiner, mit moosgrünem Teppichboden ausgelegter, nahezu quadratischer Raum mit einem Fenster zur Straße und zum Parkplatz hin. Jetzt allerdings waren die Rollläden heruntergelassen worden, wie ich durch die gehäkelten Stores erkannt hatte. Die Wände waren mittel-, die niedrige Decke hellbraun gestrichen.

Wenn man den Raum betrat, stand rechts an der Wand ein mit beigem Cordstoff bezogenes Ecksofa für vier Personen, auf dessen kürzerem, an der Fensterseite gelegenem Teil der Platz von Holgers Vater war. Holger und ich hatten auf dem Hauptteil des Sofas gesessen, vor dem, auf einem kleinen Flokati, ein Couchtisch mit chromfarbenem Gestell und einer dunklen Rauchglasplatte stand. Auf diesem ein Drehaschenbecher aus Kristallglas und ein dazugehöriges Tischfeuerzeug, daneben hatten Zigaretten gelegen, jeweils eine Packung Kim und HB. Über dem Sofa hing die gerahmte Reproduktion eines Ölgemäldes, welches den Leuchtturm von Sankt Peter-Ording zeigte, wie ich beim Hinsetzen gelesen hatte.

Zu unserer linken Seite hatte Holgers Mutter im ebenfalls zur Sitzgarnitur gehörenden gleichfarbigen Sessel Platz genommen. Knapp über dem Couchtisch hing eine Lampe aus glasiertem Ton, ich hatte darauf achten müssen, dass mir deren weißes Spiralkabel beim Fernsehschauen nicht die Sicht nahm. Der Apparat stand nämlich in der, die gesamte gegenüberliegende Wand einnehmenden Eichenholzschrankwand. Tagsüber war er hinter einer Klapptür darin verborgen, welche Holgers Vater, in Vorfreude summend, geöffnet hatte. Oben auf dieser Schrankwand waren Neonröhren angebracht, die, wie die Hängelampe, eingeschaltet waren, sodass es viel heller gewesen war, als ich es von zu Hause kannte. Meine Mutter, die Deckenbeleuchtung hasste, begann bei Einbruch der Dämmerung etliche über den Raum verteilte, zum Teil versteckte Leuchten und Funzeln anzuknipsen, weil sie der Meinung war, das sei so angenehmer. Hier aber war der Fernseher, ein ganz neues Nordmende-Modell, eingeschaltet worden, und Holgers Vater hatte sich händereibend in die Polster fallen lassen.

Die Sendung hatte begonnen, Holger und seine

Mutter den Text der Titelmusik mitgesungen, der Vater sie pfeifend begleitet.

»Spiel mit, das Glück macht heut' eine Show, Spiel mit, heut' sagt Fortuna nicht No«.

Diese Art der Begeisterung war mir neu gewesen, bei uns zu Hause machte man sich über so etwas eher lustig, schlief gleich ein oder stand nach spätestens fünf Minuten auf und ging kommentarlos, mit hochgezogener Augenbraue höchstens, seiner Wege, sodass ich, wenn meine Mutter sich nicht erbarmte, meist alleine vor dem Fernseher sitzen blieb.

Die gesamte Sendung war mit nicht nachlassender Aufmerksamkeit verfolgt worden, es war mitgeraten (»Riisikoo«, hatte die Belegschaft des Wohnzimmers im Chor geraunt) und gesungen worden (»Du bringst in mir nie gekannte Akkorde zum Klingen, der Grand Prix d'amour, das bist du für mich«), man hatte seine Einschätzungen über die Verfassung des Showmasters und seiner prominenten Gäste geteilt: »Auch dicker geworden, der Thoelke.«

Nach dem Verklingen des vom Orchester Max Greger intonierten Schlussmedleys hatten sich Holgers Eltern kurz zugenickt, der Fernseher war ausgeschaltet worden, man war aufgestanden, und zügig war nach einem eingespielten Ritual der Tisch abgeräumt worden. Den Regeln dieses Vorgangs hatte ich mich intuitiv anzupassen versucht, leider vergeblich, weswegen ich ständig im Weg herumgestanden hatte. Dann waren Holger und ich Zähne putzen gegangen, und als wir aus dem Bad gekommen waren, war der Flur dunkel und leer gewesen.

Es fiel mir schwer, zur Ruhe zu kommen, während ich nun hier lag und Holgers Atemzügen lauschte, aufgewühlt vom gemeinsamen Abend in dieser wunderbaren Welt. Hatte er mir doch gezeigt, wie und wo ich leben wollte, so wie hier sähe es aus, mein zukünftiges Leben!

Was mir alles durch den Kopf ging. Vielleicht könnte ich ja später auch zur Bundestagsverwaltung gehen und dort als Sachbearbeiter in die Fußstapfen von Holgers Vater treten, warum nicht? Aber erst, nachdem Holger und ich die vier Jahre Bundeswehr hinter uns hätten, was, wie er uns erklärt hatte, neben der Kameradschaft, der körperlichen und charakterlichen Stärkung, auch viele finanzielle Vorteile mit sich brächte. Zum Beispiel, willkürlich herausgegriffen, in Hinsicht auf die Autoversicherung, wo wir ja dann, nachdem wir beim Barras den Autoführerschein plus Motorrad und Lkw für lau gemacht hätten, die günstigen Tarife für den öffentlichen Dienst in Anspruch nehmen könnten! Von den vermögenswirksamen Leistungen gar nicht zu reden. Da legte Vater Staat ja ordentlich was dazu.

Die behagliche Geschlossenheit dieser Gedankenwelt hatte mich sofort eingelullt. Aber ich sah jetzt doch auch, dass dies hier in jeglicher Hinsicht das Gegenteil meines Zuhauses war. Oder musste es nicht besser heißen, meines bisherigen Zuhauses? Einerseits bedauerte ich mich dafür, dass das Schicksal mir diesen Zwiespalt bereitzuhalten schien, zum anderen war ich geradezu euphorisch wegen der am heutigen Abend so lebendig aufgezeigten Alternative jenes Lebens, das auf mich wartete.

Plötzlich musste ich lachen, weil mir eine Geschichte einfiel, die ich nachmittags gehört hatte. Ich hatte den Frotteebezug des Toilettendeckels, der farblich dem kleinen Teppich davor angeglichen war, gelobt und Holger gesagt, wie wohnlich ich das fand, woraufhin er mit mir in die Küche gerannt war, um seine Mutter anzuflehen, mir die Geschichte von Tante Otti zu erzählen, was sie auch bereitwillig getan hatte.

Folgendes hatte sich also zugetragen: Einer

in Dresden lebenden Tante von Holgers Vater, Frau Otto, schickte man regelmäßig Pakete mit Lebensmitteln, Kleidung und anderen im Osten nicht erhältlichen Waren. In einem dieser Pakete hatte sich vor einiger Zeit auch eine der von mir bewunderten Frottee-Toilettengarnituren befunden. Nach einiger Zeit hatten Holgers Eltern von besagter Tante einen Dankesbrief bekommen, der den Satz enthielt: »Danke für den schönen Schal, leider ist mir die Mütze viel zu groß.« Holgers Mutter hatte das kaum zu Ende erzählen können, er selbst sich vor Lachen auf dem Küchenboden gewunden, während ich den Witz der Sache nicht verstand, bis sie ihn mir erklärt hatten: Die alte Dame hatte sich, deren Bestimmung verkennend, anscheinend den Klodeckelbezug auf den Kopf gesetzt und den Vorleger um den Hals gelegt.

Niemand erwartete von mir, dass sie mir leidtat, wie die Reaktion ihrer Verwandten gezeigt hatte. Auch das war für mich ungewohnt und verblüffend gewesen.

Während des Fernsehabends war es mir so gegangen wie schon oft: Wenn es mir irgendwo gefiel, musste ich mich dieser Umgebung vollkommen anverwandeln. Ich wollte dann nicht nur so sein wie die Menschen, unter denen ich mich befand, sondern eigentlich *mehr* sie sein, als sie selbst es waren! Gleichzeitig spürte ich einen tiefen Zorn auf mein Zuhause aufsteigen, vor allem auf meine Eltern, die mir, wie ich jetzt fand, so vieles vorenthielten. Alles, genau genommen, was das Leben lebenswert machte. Warum musste ich denn am nächsten Vormittag schon wieder aus der Mitte der Familie gerissen werden, mit der ich diesen grandiosen Abend verbracht hatte und als deren Mitglied ich mich längst fühlte?

Für die Meinigen dagegen empfand ich in diesem Augenblick keinerlei Liebe mehr. Aber die bittere Feststellung löste in mir keine Trauer oder Wehmut aus, und es schien, als würde mir die Klarheit und Kälte der Erkenntnis die nötige Stärke für die unausweichliche Loslösung, den Schnitt verleihen, den ich eines Tages zu vollziehen hätte. Würden alle Beteiligten Vernunft walten lassen, fände sich schon eine würdige Form der Trennung, zu der es keine Alternative mehr gab. Letztlich konnte ja niemand etwas dafür, dass der Zufall mich in die für mich gar nicht passende Umgebung meines sogenannten Zuhauses geworfen hatte. Nein, von dem mir nun vorgezeichneten Weg gab es kein Zurück. Gerührt von der eigenen Tapferkeit angesichts dieser mir schon in so jungen Jahren auferlegten Prüfung schlief ich schließlich doch ein, mich dem Unausweichlichen ernst und gefasst stellend.

Es dauerte eine Weile, bis ich bemerkte, dass es sich bei dem Wimmern, von dem ich aufgewacht war, um mein eigenes handelte. Kurz war ich in dem fremden Zimmer orientierungslos gewesen. Ich hatte mir die Augen gerieben und, als ich mit dem Handrücken mein Kopfkissen berührte, gefühlt, dass es feucht war. Ich richtete mich auf, und ein Luftzug strich mir dabei über die tränennassen Wangen. Es dauerte ein wenig, die Ursache meines Unglücks zu erkennen, dann traf es mich mit Wucht. Stoßartig zog es mir jetzt den Magen zusammen, und ein nächster Schluchzer entrang sich meiner zugeschnürten Kehle.

Und dann, das Bewusstsein war träger als der Körper, kamen mir die Gedanken und Bilder, die diese Aufwallung offenbar schon seit einer Weile bewirkt hatten. Ich hörte meine Mutter mir leise eine gute Nacht wünschen, spürte meine Stirn an der Hemdbrust des Vaters liegen und wusste, dass ich sie und ihre Liebe verraten hatte. Dass ich mich jetzt mehr als nach irgendetwas anderem nach ihnen sehnte, dass sie aber, so meine Angst, für mich verloren waren, weil ich sie vor ein paar Stunden erst so rücksichtslos verleugnet hatte. Ich hielt mir das Kopfkissen vors Gesicht, aus Angst, dass Holger aufwachen würde. Ich wollte nur eines, so schnell wie möglich nach Hause, musste aber hier ausharren, bis die Polizisten mich holten. In diesem Augenblick schien es mir undenkbar, die Stunden bis dahin zu überleben. Ein schwerer Druck lastete auf meiner Brust, und ich fühlte mich so allein wie noch nie zuvor. Wie gerne hätte ich meine Gedanken, die ich vor dem Einschlafen gehabt hatte, ungedacht gemacht. Aber es war aussichtslos.

Nebenan grunzte Holger und wälzte sich herum, schnell wandte ich mich ab. Mein Vater hatte mir einmal – ich hatte ihn gefragt, was eigentlich Heimweh genau ist – eine Geschichte aus alter Zeit von den Schweizer Söldnern in der französischen Armee erzählt, in deren Gegenwart die Regierung bei Todesandrohung verboten hatte, ein bestimmtes Volkslied zu singen, weil diese es dann vor Sehnsucht nicht mehr ausgehalten hatten. Sofort waren sie desertiert und hatten sich auf den Weg nach Hause gemacht.

Ich vermisste Gabor so sehr, die Weite, das Alleinsein, das keine Einsamkeit war.

Vor Erschöpfung schlief ich irgendwann wieder ein, vielleicht auch ein wenig erleichtert, weil ich merkte, dass mein Schmerz nichts anderes war als die Erkenntnis, wohin ich gehörte.

Beim gemeinsamen Frühstück mit Holger und seinen Eltern kaute ich der Form halber an meinem Brötchen herum, obwohl ich eigentlich nichts runterbekam. Ich musste es schaffen, das glibberige Frühstücksei stehen zu lassen, aber da spielte ich auf Zeit. Als sein Vater den Kühlschrank öffnete, um die Marmelade herauszunehmen, schaute ich schnell weg, aus Angst, darin die bläuliche Rinderzunge liegen zu sehen, die hier Mittags kredenzt werden würde. Keinesfalls wollte ich riskieren, gefragt zu werden, was mit mir los sei, und so meine mühsam gewahrte Fassung gefährden lassen.

Immer wieder schaute ich vorsichtig auf die Küchenuhr über der Tür. Komisch – nur, wenn ich sie anguckte, hörte ich, wie laut sie tickte, sonst nicht. Als ob sie meinen Blick beantwortete. Gleichzeitig lauschte ich, ob durch die Glastür das Motorengeräusch des Wagens von Herrn Danner und Herrn Volquardsen, meinen Rettern, zu hören sei. Für zehn Uhr hatten sie die Abholung mit Holgers Vater vereinbart. Nur noch kurze Zeit galt es zu überstehen, und wenn ich erst im Auto saß, war ich erlöst.

Es war Sonntagmorgen, und weil deswegen kaum jemand unterwegs war, hörte ich den Audi schon von Weitem. Ich sprang auf, stürzte zur Balkontür und sah den Wagen auf den Parkplatz rollen. Den Anschein der Gelassenheit konnte ich jetzt beim besten Willen nicht mehr wahren, schon war ich in Holgers Zimmer, um meine längst gepackte Tasche zu holen, und eilte von dort aus in den Flur zur Garderobe, wo ich meine Jacke anzog. Ich gab Holgers Eltern in der Küche schnell die Hand und machte einen Diener. Eigentlich wollte ich mich noch für die Gastfreundschaft und den schönen Abend bedanken, aber als ich den Mund öffnete, begann meine Unterlippe wieder zu zittern, und mir schossen Tränen in die Augen. Wie ein Gaul schnaubte ich laut aus, drehte mich dann wortlos um und ging. Die Familie blieb verwundert zurück.

Zum Glück steckte der Wohnungsschlüssel von innen, sodass ich selbst öffnen und, immer zwei Stufen auf einmal nehmend, nach unten springen konnte. Draußen rannte ich auf Herrn Danner, der ausgestiegen war, zu und umarmte ihn, für ihn unvermittelt. Herr Volquardsen war im Auto sitzen geblieben. »Gutenn Morgenn!«, schnarrte er, den Blick nach vorne gerichtet, auf eine Art, die klarstellte, dass dies sowohl der Anfang wie auch gleichzeitig das Ende unserer Unterhaltung war. Es würde mit uns beiden nichts mehr werden, was mir aber in diesem Moment herzlich egal war. Auch seine schlechte Laune weckte in mir behagliche Heimatgefühle. Seltsam, in meiner jetzigen Euphorie konnte ich mich kaum noch an die vollkommene Verzweiflung einige Stunden zuvor erinnern.

Während der Fahrt schaute ich von der Rückbank aus lange die Christophorusplakette an, die auf das Armaturenbrett geklebt war.

Als sich das Rolltor hinter mir schloss, kam Gabor bellend angelaufen, der, ich wusste es, wegen meines Ausbleibens vor Unruhe krank gewesen sein musste. Ich begrüßte ihn, dann schaute ich auf das zu große weiße Haus, in dem wir alle uns so leicht verpassten.

Hier wollte ich sein.

Bei ihnen. Für mich.

Nirgendwo sonst.

Was ist

Weil ich bei dem missglückten Zauberkunststück mein Kinderzimmer in Flammen hatte aufgehen lassen, wurde es renoviert.

Währenddessen wurde ich ausquartiert und kehrte nach Abschluss der Arbeiten statt in die gewohnte Unordnung in ein aufgeräumtes, von meiner Mutter mithilfe eines Innendekorateurs gestaltetes, sogenanntes Jugendzimmer zurück. Es war jetzt, als sei ich bei mir selbst zu Besuch. Meine Mutter war beleidigt, weil ich mich nicht freute. Dabei wusste ich nur nicht, wer hier wohnte. Ich jedenfalls nicht. In den Jahren zuvor hatte ich die Zimmerwände von oben bis unten mit Filz- und Wachsstiften bemalt. Der Kleiderschrank war nicht mehr zu schließen gewesen, seit bei einer der Türen das Scharnier herausgebrochen war. Diese hatte ein Eigenleben entwickelt und war dauernd knarzend aufgeklappt, als ob ein Geräuschemacher mit im Zimmer säße. Ich hatte versucht, mich an ihr von meinem Schreibtischstuhl aufs Bett zu schwingen, die selbst gestellte Aufgabe war gewesen, dabei nicht den Boden zu berühren. Was gelang, nur hatte der Schrank dran glauben müssen. Spielzeuge und Requisiten nie ausgeübter Sportarten stapelten sich, der Meerschweinchenkäfig stand in der einen, die Schildkrötenkiste in der anderen Ecke, weswegen im gesamten Zimmer Sägemehl, vollgepinkeltes Heu und vergammelnde Salatblätter verstreut waren. Auf der Fensterbank das ramponierte Modell der Saturn-V-Mondrakete, das meine Eltern mir von einer Amerikareise mitgebracht hatten. Es war beschädigt worden, als ich versucht hatte, besagtes Meerschweinchen mit einem Weckgummi daran zu fixieren. Mithilfe einer Wäscheleine wollte ich dann Rakete und Nager schnellstmöglich im Kreis herumschleudern und so ein Experiment nachempfinden, bei dem es um die Belastbarkeit von Astronauten bei Einwirkung großer Zentrifugalkraft in einem Simulator ging. Zuerst hatte ich den Versuch mit meiner Schildkröte anstellen wollen, weil sie den Raumanzug gewissermaßen schon mitbrachte. Man hätte dabei nur noch über einen aus einem halbierten Tischtennisball hergestellten Helm nachdenken müssen, den man ihr mit Uhu hätte an den Panzer kleben können. Allerdings war die Kröte vor Kurzem zu Schaden gekommen, als der Hund sie für einen Knochen auf Beinen gehalten hatte. Was sie ja gewissermaßen auch war. Ich hatte das glücklicherweise entdeckt, bevor er sie endgültig knackte. Nun hatte der Panzer allerdings ein Loch, und sie war Rekonvaleszentin, wodurch Freund Schwein wieder ins Spiel gekommen war. Der allerdings versagte kläglich, weil er beim Festbinden auf der Rakete strampelte, sodass er die amerikanische Fahne zerkratzte und außerdem derartig quiekte, dass das alarmierte Au-pair-Mädchen Stine meinen Versuch schließlich beendete.

Mir hätte es gefallen, mein Zimmer wäre nicht verändert worden, und die Spuren des Feuers wären geblieben. Aber das, was war, wurde gleich wieder beseitigt. Das jetzt angeblich verschönerte Zimmer lag am Anfang eines langen Flurs. War die Tür geschlossen wie jetzt, bekam ich nichts von dem, was im Haus sonst vorging, mit. Manchmal hatte ich Angst, man würde mich hier vergessen.

Sowohl meine Mutter als auch Stine waren unterwegs, aber ich wusste, dass mein Vater zu Hause war. Am Nachmittag war ich auf dem Heimweg, von meinem Freund Holger kommend, von der Wagenkolonne überholt worden. Zu Hause war mein Vater dann offenbar gleich in seinem Zimmer verschwunden. Als ich ankam, war nichts mehr von ihm zu sehen. Ich langweilte mich in meiner neuen Katalogbehausung herum, schaute auf das Buch, aus dem meine Mutter mir in den letzten Tagen am Abend vorgelesen hatte, und vermisste dieses Ritual. Der Vater war ja immer mit wichtigen Dingen beschäftigt, ihn zu bitten, schien undenkbar. Nach einer Weile stieg ich in meine hellblauen Pantoffeln, nahm – vorsichtshalber – das Buch mit und ging hinaus auf den Flur. Vielleicht ergäbe sich eine zufällige Begegnung, und ich könnte im Moment entscheiden, ob ich den Versuch, ihn zu fragen, wagte. Ich drückte mich zuerst in der Küche und auf dem leeren Flur herum, bevor ich mich dem väterlichen Terrain näherte.

Seine Zimmertür war wie meist geschlossen. Dahinter befand sich sein Wohnbereich, zwei kleine, holzgetäfelte Mansardenräume, Arbeits- und Schlafzimmer. Mir war dieser Teil des Hauses fremder als jeder andere. An der linken Hausseite gab es einen separaten Eingang, sodass es passieren konnte, dass mein Vater kam und wieder ging, ohne dass man davon etwas mitbekam. Ich betrat diese Räume nur selten, so neugierig ich sonst auch war. Nur manchmal schlich ich, wenn er nicht da war, hinein, um mich auf seinem Bürostuhl so lange im Kreis zu drehen, bis mir schwindelte.

Vorsichtig hielt ich mein Ohr an die Tür und lauschte, was sich dahinter tat. Das war insoweit sinnlos, als es sich um die Tür zu einem dem Arbeitszimmer noch vorgelagerten Raum handelte. War die nächste Tür ebenfalls geschlossen, drang kein Geräusch bis nach vorne. Langsam drückte ich die Klinke und öffnete die Tür einen Spalt. Wie vermutet, war auch die zweite Tür geschlossen. Dass mein Vater anwesend war, merkte ich an dem Tabakrauch, der nach vorne gezogen war. Eine Weile stand ich dort, noch konnte ich unbemerkt einen Rückzieher machen. Aber die Versuchung war zu groß, ich betrat vorsichtig die kleine, dunkle Schleuse in die väterliche Welt und schloss leise die Tür hinter mir. Stand in der Dunkelheit und horchte, roch. Dann, gedämpft durch die geschlossene Zimmertür, ein leises Schnarchen. Ich tastete mich bis zur nächsten Tür und legte wieder mein Ohr daran, hörte es deutlicher. Ich fasste meinen ganzen Mut zusammen und klopfte zaghaft, so, dass das Geräusch zur Not auch von woanders her hätte kommen können, wie man wegschaut, wenn jemand, den man heimlich betrachtet, den Blick erwidert. Bis der Vater an der Tür gewesen wäre, hätte ich mich längst aus dem Staub machen können. Keine Reaktion aufs Klopfen.

Schließlich drückte ich, so vorsichtig wie möglich, die Klinke und öffnete die Tür einen Spalt. Ich linste ins Zimmer, in Richtung des Schreibtisches, und sah ihn dort sitzen, den Kopf seitlich geneigt und nach vorne auf die Brust gesunken. Gleichmäßiges Schnarchen, bei dem sein Kopf sich stets ein wenig hob und senkte. Die Brille war nach vorne gerutscht und wurde nur noch von der Nasenspitze gehalten. Eine Weile stand ich in der Tür und schaute ihn an. Auf seinem Schreibtisch Akten, die ihm in einer dicken Tasche hinterhergetragen wurden. Außerdem ein Aschenbecher, ein Glas mit brauner Flüssigkeit und fast schon geschmolzenen Eiswürfeln darin, die ich gerne gelutscht hätte, wenn sie nicht nach dem ekelerregenden Getränk geschmeckt hätten. Vorsichtig betrat ich den Raum und setzte mich auf das neben der Tür stehende Chesterfieldsofa, sah ihm zu. Ich musste dem Impuls widerstehen, hinzugehen und zu gucken, ob ihm immer noch das Haar aus der Nase schaute, das ich vor einigen Tagen, ohne von ihm bemerkt zu werden, eingehend studiert hatte. Ich könnte jetzt endlich daran ziehen und mich, sollte er aufwachen, hinter ihm verstecken. Vielleicht auch seinen Stuhl so lange um die eigene Achse drehen, bis er aufwachte, um auszuprobieren, ob ihm im Schlaf schwindelig würde. Nichts davon tat ich, stattdessen schlug ich irgendwann mein Buch auf und begann zu lesen. Das gleichmäßige Schnarren hatte auf mich eine angenehm einlullende Wirkung, und die Zeilen begannen vor meinen Augen zu verschwimmen. Schön müsste es sein, sich auf dem Sofa auszustrecken. Über der Armlehne lag die verstörend weiche Kamelhaardecke, die ich nur gestreichelt, nicht aufgeschlagen hatte, wenn ich mich in seiner Abwesenheit hier ins Zimmer geschlichen hatte. Ich wollte danach greifen, als er plötzlich aufschreckte und die Augen öffnete, ohne dass ich den Eindruck hatte, er sähe etwas. »Hva er det?«, fragte er auf Norwegisch in den Raum hinein, »Was ist?«. Dann erst nahm er mich wahr, wirkte verwundert. Ich hatte den Impuls wegzurennen. Der Gedanke, dass ich alles falsch gemacht hatte und mein Hiersein einen Übertritt, ein nicht tolerierbares Eindringen in eine Sphäre bedeutete, in die ich nicht gehörte, schoss mir durch den Kopf. Ich wurde knallrot.

»Ja?«, fragte er. Ich wusste nicht, was ich darauf sagen sollte, also blieb ich in meiner Verlegenheit stumm. Lange sahen wir uns an, dann, ohne zu wissen, woher ich den Mut nahm, fragte ich zaghaft: »Kannst du mir vorlesen?« Gekräuselte Stirn, als ob er sich bemühen müsse, die Frage zu verstehen. Wortlos stand er auf und ging hinaus. Ich wollte vor Scham im Boden versinken und war mir ganz sicher, einen großen, nicht wieder aus der Welt zu schaffenden Fehler begangen zu haben. Weil ich aber vergessen hatte, wie das ging, Aufstehen und Weglaufen, und weil sowieso schon alles egal war, blieb ich einfach sitzen und knibbelte an einem der Lederknöpfe des Sofas herum. Ein Schweißtropfen kullerte unter meinem Nickipullover langsam von der linken Achsel hinunter zum Hosenbund. Es dauerte sehr lange, bis er wiederkam, ich hatte mittlerweile jede Hoffnung aufgegeben. Jetzt aber hielt er in der einen Hand ein Glas Rotwein, in der anderen eines mit Milch. Beides stellte er auf den Couchtisch und setzte sich neben mich auf das

Sofa. Schaute kurz so, als ob er sich zu erinnern versuchte, wer ich sei. Dann fiel es ihm wieder ein, und er wollte wissen, an welcher Stelle ich aufgehört hatte zu lesen. Ich glotzte nur, er musste die Frage ein zweites Mal stellen. Ich zeigte ihm die Stelle, er griff sich das Buch und begann zu lesen. Allerdings für sich, stumm. Der Inhalt schien ihm zu gefallen, denn er lächelte. Aber mein Ansinnen war ja doch ein anderes gewesen, und ich überlegte, wie ich mich bemerkbar machen könnte.

Im letzten Sommerurlaub hatte ich den im Liegestuhl eingenickten Vater einmal wecken und zum Essen holen sollen. Ich war vor ihm gestanden, hatte ihn mehrmals vergeblich angesprochen und ihm in meiner Ratlosigkeit schließlich aus mir schon im nächsten Augenblick unerfindlichen Gründen fest und, wie sein Aufschrei verriet, schmerzhaft gegen das Schienbein getreten. Das hatte mir die erste und einzige Ohrfeige meines Lebens eingebracht.

Jetzt suchte ich nach einer eleganteren Methode, seine Aufmerksamkeit zu erlangen. Aber dann legte er auf einmal seinen linken Arm um mich und begann vorzulesen. Ich konnte kaum glauben, was geschah. Er las eine Weile, schaute mich an und stellte einige, die Geschichte des Propellermannes betreffende Fragen. Als ich ihm die Zusammenhänge erklärte, lachte er.

Vorsichtig rutschte ich näher. Den Kopf schließlich, nach kurzem Zögern, erst auf seiner Schulter, dann in seinem Schoß, schaute ich nach oben, sah die ledrigen Wangen mit dunklen und grauen Bartstoppeln und war kurz versucht, sie zu berühren. Aber keinesfalls wollte ich den Moment zerstören. Millionen kleiner Fältchen um die Augen, wie mir schien. Beim Umblättern sah ich die gelben Spitzen von Zeige- und Mittelfinger seiner Rauchhand. Die Brille mit den kleinen eingelassenen Fenstern am unteren Rand. Ich positionierte mich so, dass ich durch die Änderung meines Blickwinkels optische Verzerrungen bewirken konnte, sah unterschiedlich große Augen, deren Farbe ich immer noch nicht herausgefunden hatte. Jetzt wäre die Gelegenheit dazu gewesen, hätte mich nicht diese wohlige Schwere erfasst. Die großporige Haut seiner Nase wurde zur Kraterlandschaft. Irgendwo in meinem Bauch vibrierte seine Stimme, die noch besser klang als die von Pa aus Bonanza.

Das alles wollte ich nicht loslassen, und während ich das dachte, schlief ich ein.

Inhalt

Memory Boy

Die in diesem Buch enthaltenen Geschichten sind auch Teil eines Projektes mit meinem Bühnenpartner, dem Musiker Jens Thomas.

Viele von ihnen korrespondieren mit Songs auf dessen neuem Album »Memory Boy«, das zeitgleich bei Roof-Music erscheint.

»Raumpatrouille« und »Memory Boy« entstanden parallel und in ständigem Austausch, mal entwickelte sich der Song aus einer Geschichte, dann wieder war es andersherum.

Text und Musik werden sich in einer gemeinsamen Bühnenarbeit begegnen und verweben.

Dieses Buch wäre ohne unsere Freundschaft in der Kunst und im Leben nicht entstanden.

Matthias Brandt, Frühjahr 2016

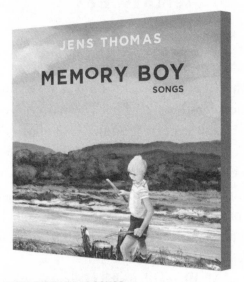